C·H·Beck
PAPERBACK

Navid Kermani

Einbruch der Wirklichkeit

Auf dem Flüchtlingstreck durch Europa

Mit Photographien von Moises Saman

C.H.Beck

Mit 12 Photographien von Moises Saman
© 2015 Moises Saman / Magnum Photos / Agentur Focus

Mit 1 Karte, © Peter Palm, Berlin

3. Auflage. 2016

Originalausgabe
© Verlag C.H.Beck oHG, München 2016
Satz: Im Verlag C.H.Beck
Druckerei: C.H.Beck, Nördlingen
Umschlaggestaltung: Konstanze Berner, München
Umschlagabbildung: Flüchtlinge auf Lesbos.
© 2015 Moises Saman / Magnum Photos / Agentur Focus
Gedruckt auf säurefreiem, alterungsbeständigem Papier
(hergestellt aus chlorfrei gebleichtem Zellstoff)
Printed in Germany
ISBN 978 3 406 69208 6

www.chbeck.de
www.navidkermani.de

Ein seltsam weichgewordenes Deutschland

Es war ein seltsam weichgewordenes Deutschland, das ich Ende September 2015 verließ. In den Bahnhöfen der großen Städte lagen Fremde auf grünen Schaumstoff-matten zwischen Reisenden, die zum Ausgang oder zu ihren Zügen eilten. Niemand verscheuchte sie oder regte sich über die Ordnungswidrigkeit auf, nein: Einheimische in signalgelben Westen knieten neben den Fremden, um sie mit Tee und belegten Brötchen zu versorgen oder mit ihren Kindern zu spielen. Vor den Bahnhöfen standen Zelte, in die immer neue Kisten getragen wurden, Le-bensmittel, Kleider, Spielzeug, Medikamente: Spenden der Bevölkerung. Als andere Länder die Fremden aufhiel-ten und so heftig drangsalierten, daß sie zu Fuß über die Autobahn entkommen wollten, holte Deutschland sie mit Sonderzügen ab, und wo immer sie eintrafen, standen viele Bürger und sogar die Bürgermeister am Bahngleis, um zu applaudieren. Die Lokalblätter ebenso wie die nationalen Fernsehsender informierten, wie jeder ein-zelne Deutsche helfen könne, und selbst die fremden-feindlichste Zeitung überhaupt in Deutschland erzählte von einem auf den anderen Tag die Lebensgeschichten der Fremden, erzählte so eindrücklich von Krieg, von Unterdrückung, von den Strapazen und Gefahren ihrer Flucht, daß man ihre Rettung nicht einmal an den Stammtischen ganz schlecht finden konnte. In den Städten und Dörfern bildeten sich Bürgerinitiativen – nicht etwa gegen, sondern für die neuen Nachbarn. Die Fußballbundesliga nähte Sticker auf ihre Trikots, daß Flüchtlinge willkommen seien, und die populärsten Schauspieler und Sänger wetterten gegen jeden Deutschen, der sich nicht solidarisch zeigte.

Ja, es gab auch Haß gegen die Fremden, es gab Anschläge, aber nun standen den Bedrohten sofort die Politiker zur Seite und besuchten ihre Heime. Selbst die Bundeskanzlerin, die so nüchterne deutsche Bundeskanzlerin, die wenige Wochen vorher noch hilflos auf ein heulendes Mädchen aus Palästina reagiert hatte, verblüffte durch einen Gefühlsausbruch, als sie das Recht auf politisches Asyl verteidigte. Überhaupt die Regierung: War das noch dieselbe, die ein paar Monate zuvor am lautesten das Programm *Mare nostrum* kritisiert hatte, mit dem Italien Bootsflüchtlinge vorm Ertrinken rettete? Und dann der Staat, der deutsche Staat: Innerhalb weniger Wochen Hunderttausende neue Flüchtlinge zu versorgen, das sprengte jeden vorgesehenen Rahmen und gelang doch erstaunlich gut. Allenfalls leise wurde über die Turnhallen gemurrt, die den Schulen nicht mehr zur Verfügung standen, nur verstohlen die Kosten veranschlagt, die womöglich neue Schulden erforderlich machten. Und was, wenn nächstes Jahr erneut eine Million Flüchtlinge käme, und übernächstes noch mehr? Es war ein seltsam weichgewordenes Deutschland, das ich verließ, auch das Graue, sonst so Starre, Abweisende wie mit Puderzucker bedeckt. Gerade als ich es verließ, mußte ich daran denken oder spürte ich bereits, wie leicht sich Puderzucker auch wegblasen ließe.

Völkerwanderung

Von der Veranda meines Hotels auf Lesbos blicke ich auf die türkische Küste, die ein paar Kilometer entfernt auf der anderen Seite des Mittelmeers liegt. Es ist halb neun Uhr morgens, und jetzt, da ich diesen Satz schreibe, kommt unten auf der Gasse die erste Gruppe von Flüchtlingen um die Ecke, dem Augenschein und den Gesprächsfetzen nach sämtlich Afghanen, alles Männer, deren Schlauchboot offenbar ohne größere Schwierigkeiten in Europa gelandet ist. Sie wirken weder durchnäßt noch durchfroren wie viele andere Flüchtlinge, die aus Furcht vor der Polizei an Felsen oder steil abfallendem Gebüsch anlegen oder deren Boot heillos überfüllt ist. Da der gefährlichste Teil ihrer langen Reise überstanden ist, sind sie fröhlich, geradezu aufgekratzt, plaudern und scherzen, sehen aus wie eine Gruppe junger Ausflügler mit keinem oder höchstens mit

➤ *Folgende Seiten: Miratovac, Serbien: Flüchtlinge, die von Mazedonien über die grüne Grenze nach Serbien marschiert sind.*

Handgepäck. Allerdings wissen sie nicht, daß sie mehrere Kilometer steil bergauf gehen müssen, bis sie einen der Busse erreichen, die das Flüchtlingswerk der Vereinten Nationen gechartert hat, um die Flüchtlinge zum Hafen von Mytilini zu fahren; schon gar nicht ahnen sie, daß die Vereinten Nationen leider nicht genügend Busse haben, so daß die meisten Flüchtlinge die fünfundfünfzig Kilometer zum Hafen zu Fuß laufen müssen, in der tagsüber noch immer grellen Sonne und den kühlgewordenen Nächten, ohne Essen, ohne Schlafsack, ohne warme Kleidung.

Es gibt Flugzeuge, die schneller als der Schall fliegen, und Schiffe, die wie Urlaubsstädte anmuten, es gibt Züge so bequem wie Wohnzimmer und Linienbusse mit Küche, Bad und Schlafsesseln, es gibt Taxis mit drahtlosem Internet und bald selbstfahrende Autos – aber im Jahr 2015 marschieren die Flüchtlinge durch Europa wie das Volk Israel nach der Flucht aus Ägypten. In Bibelfilmen oder auf Gemälden sieht man dann immer einen großen Menschenpulk mit dem Propheten an der Spitze. Auf der Fahrt von Mytilini an die Nordküste sah ich, wie Völker wohl tatsächlich wandern: eine lange, nicht enden wollende Kette von kleinen und kleinsten Grüppchen in unterschiedlichen Abständen und wechselnden Anordnungen, mal im Gänsemarsch, mal drei oder vier nebeneinander. Nichts scheint die Gruppen zu verbinden als ihr Ziel. Selbst wenn sie aus demselben Land stammen, kommen sie gewöhnlich doch aus unterschiedlichen Städten und Gegenden. Und auch innerhalb der kleinen Gruppen sind sich die Menschen oft fremd, Zufallsbekanntschaften, die zu Schicksalsgemeinschaften geworden sind. Anfangs bleiben noch alle vierzig oder fünfzig zusammen, die gemeinsam im Schlauchboot saßen, aber schon mit der ersten Steigung, keine hundert Meter hinter meinem Hotel, gehen die jungen, alleinstehenden Männer voran und fallen die Familien zurück.

Sie sind das Schreckgespenst Europas: die alleinstehenden Männer, die nach Europa wollen, *junge muslimische Männer!*, wie es in Leserbriefen und Talkshows oft warnend heißt. Ob sie tatsächlich religiös sind, verrät ihr Äußeres nicht; kaum jemand trägt Bart, niemand ein traditionelles Gewand, nirgends halten sie an zum gemeinsamen Gebet. Bedenkt man die Verhältnisse – wann konnten sie das letzte Mal duschen, wann schliefen sie das letzte Mal in einem Bett? –, sind die Männer sogar auffallend gut rasiert. Das allein wäre in islamischen Diktaturen schon ein Zeichen der Aufmüpfigkeit und ist vielleicht tat- ~~insubordination~~ sächlich eines, schließlich sind gerade die Syrer, Iraker und Afghanen oft vor Verhältnissen geflohen, in denen eine Rasur mit dem Tod bestraft werden kann. Aber Männer bilden die große Mehrheit der Flüchtlinge, ja, und die meisten sind jung, achtzehn, zwanzig, fünfundzwanzig Jahre. Allerdings hat das vielleicht auch einen simplen, auf Lesbos unmittelbar einleuchtenden Grund: Am ehesten stehen sie die Strapazen durch, die Gefahren, die schiere physische Anstrengung, die es bedeutet, in Europa Asyl zu beantragen. Indem es alle Flüchtlinge in die Schlauchboote und auf tagelange Fußmärsche zwingt, betreibt das europäische Asylrecht ungewollt eine Auslese der körperlich Starken und übrigens auch der Bedürfnislosen, also der Armen, die an bürgerlichen Komfort ohnehin nicht gewöhnt sind. Fünfundfünfzig Kilometer sind lang, erst recht wenn man schon beim Abmarsch erschöpft oder ausgehungert ist, über kein ordentliches Schuhwerk, keine warme Kleidung, keinen Proviant verfügt – dann ziehen sich fünfundfünfzig Kilometer endlos hin. Und jedes Auto, das mit leeren Rücksitzen die Flüchtlinge überholt, muß zum Haßobjekt werden, nehme ich an. Aber eine bloße Flasche Wasser, aus dem Fenster gereicht, wird zum Geschenk des Himmels, stellte ich auf der Fahrt an die Nordküste fest.

Wollen wir Europa, oder wollen wir es nicht?

Als ich in Budapest eintraf, der Hauptstadt des europäischen Staates, der für seine Fremdenfeindlichkeit bekannt ist, wunderte ich mich, überhaupt keine Fremden zu sehen. Sicher, dieselben Touristen bevölkerten die Innenstadt, die Prag, London oder Berlin in Beschlag nehmen, aber mit Fremden meine ich solche, die nach Ungarn eingewandert oder geflohen wären. Auch als ich aus dem Zentrum hinausfuhr, blieben die Gesichter in den

U-Bahnen weiß und war keine andere Sprache zu hören als die einheimische. Nicht einmal im Johannes-Paul-II-Park, wo im August jene Tausende festsaßen, die mit ihrer Flucht über die Autobahn den Impuls der Bundeskanzlerin auslösten, die Grenze zu öffnen, ist ein einziger Flüchtling zu sehen. Das mutet noch seltsamer an, wenn man bedenkt, daß Budapest bis zum Zweiten Weltkrieg eine, wenn nicht *die* multikulturelle Metropole Europas war und bis vor 300 Jahren Sitz eines osmanischen Wesirs. Die türkischen Bäder gehören zum Standard jedes touristischen Besuchs.

Ich war mit Júlia, Eva und Stefan verabredet, die gemeinsam mit vielen anderen Helfern die Flüchtlinge im Park versorgt hatten. Es war seltsam, die eine verriet mir ihren wirklichen Namen erst, als wir uns trafen, die andere ging nicht ans Telefon, sondern fragte erst per SMS, wer der Anrufer sei. Reine Vorsichtsmaßnahme, sagten sie und wunderten sich, daß ich mich wunderte, schließlich hülfen sie Illegalen. Noch im Juli hätten sie nicht geahnt, daß sie einmal Aktivisten würden, führten ein gewöhnliches Leben als Übersetzerin, als Psychologin und als Finanzberater, waren nicht einmal sonderlich politisiert. Aber dann waren sie Anfang August mit dem Elend vor der eigenen Haustür konfrontiert, sprachen mit den Flüchtlingen, die keine Schmarotzer oder Terroristen waren, wie das Fernsehen weismachen wollte, sondern gewöhnliche

➤ *Folgende Seiten:*
Opatovac, Kroatien:
Flüchtlinge steigen nach
der Registrierung in einen
Bus, der sie von der Grenze
zu Serbien weiter zum Zug
nach Ungarn bringt.

13

Wollen wir Europa, oder wollen wir es nicht?

Menschen wie sie selbst, sogar Übersetzerinnen, Psychologinnen und Finanzberater unter ihnen. Mittels Facebook fanden sie Anschluß an Aktivistengruppen, die sich innerhalb von Stunden bildeten. Sieht man von den sehr sporadischen Lieferungen des Roten Kreuzes und anderer Organisationen ab, beruhte die Versorgung tausender Flüchtlinge über mehrere Wochen allein auf der Arbeit und den Spenden von Budapester Bürgern.

Der Staat tat nicht nur nichts, sondern machte die Helfer in seinen Medien auch noch verächtlich, behauptete, sie würden von George Soros bezahlt, und bediente so das alte antisemitische Ressentiment, während er gleichzeitig Stimmung gegen Muslime machte. An den Straßen waren die Plakatwände der Regierung zu sehen, auf denen eine blonde Schönheit verkündet, daß sie etwas gegen Illegale habe – nachdem die Regierung praktisch alle Flüchtlinge, weil sie nicht legal einreisen können, zu Kriminellen erklärt hatte. Andere Plakate erklärten den Fremden, daß sie die ungarische Kultur respektieren müßten oder in Ungarn Ungarisch gesprochen wird – erklärten es den Fremden indes auf ungarisch, so daß die Plakate wohl kaum für sie bestimmt waren, sondern für die eigenen Wähler. Rassisten gibt es überall, in Ungarn jedoch wird der Rassismus vom Staat selbst eingeübt. Daß eine Kamerafrau einem Syrer ein Bein stellt, der sein Kind auf dem Arm trägt, nein: daß sie es ungeniert vor anderen Kameras tut, ist Folge einer kontinuierlichen, systematischen Herabwürdigung der Flüchtlinge und überhaupt alles Fremden im politischen und medialen Diskurs.

Die Kampagne der Regierung gegen Flüchtlinge schweißte die Helfer nur noch mehr zusammen, so daß sie sich immer noch trafen, obwohl es überhaupt keine Flüchtlinge mehr in Budapest gab. Einmal persönlich berührt, von konkreten menschlichen Begegnungen erschüttert, lasse das Thema niemanden mehr los, erklärte Eva, die Psychologin, eine blonde Vierzigerin im eleganten roten Kleid. Was immer sie getan habe, hätten ihr die Flüchtlinge mit ihrer Dankbarkeit zurückgegeben und durch die Einblicke in fremde Welten. Sie sei schon eine richtige Nahost-Expertin, sagte Eva und lachte. Statt des ungarischen Fernsehens schaue sie jetzt CNN und das englischsprachige Al Jazeera. Allerdings schilderte Eva auch, wie isoliert sie sich fühlt; mit manchen ihrer Bekannten könne sie überhaupt nicht mehr reden, so unsäglich kämen ihr inzwischen schon gewöhnliche Sprüche über Flüchtlinge vor.

– Wer mir auf Facebook zu dumm kommt, den setze ich auf *ignore*.

Eva weiß, daß sie in Ungarn einer Minderheit angehört, in Budapest einer großen, sogar wachsenden Minderheit, auf dem Land jedoch denke kaum jemand wie sie. Schließlich habe die Regierung die Flüchtlinge auch deshalb unversorgt in den Parks und Bahnhöfen gelassen, damit sie verwahrlosen, ja, damit sie stinken und die Leute Angst vor ihnen haben, vor allem nachts vor den jungen Männern. Selbst ihr eigener sechzehnjähriger Sohn murrte, als sie eine syrische Familie bei sich aufnahm, die drei Tage lang zu Fuß gelaufen war, und sah nach, ob sie nichts geklaut hatte.

Der Schriftsteller Györgi Dragomán, der mit Anfang vierzig bereits zu den renommiertesten des Landes gehört, setzte sich zu uns ins Café.

– Ja, es stimmt, gab er Eva recht, die weiter über ihre Entfremdung von der eigenen Gesellschaft sprach: Ich lebe ebenfalls in einer Blase.

Die Umfragen behaupteten, siebzig Prozent der Ungarn unterstützen die Flüchtlingspolitik, allein, er kenne von den siebzig Prozent niemanden. Alle seine Bekannten und die Schriftsteller verachteten diese Regierung. Das sei auch nicht gut, daß man immer nur mit Gleichgesinnten rede, nur sei die ungarische Gesellschaft eben total gespalten; nicht einmal auf öffentlichen Podien treffe man sich noch, um sich wenigstens zu streiten. Worüber denn auch? Das Gerede vom christlichen Abendland sei doch eine Farce, bis vor kurzem hätte die Regierung mit dem Christentum überhaupt nichts zu schaffen gehabt, sich auf pagane Traditionen eines Groß-Ungarn bezogen und gar die Öffnung nach Osten, zu den angeblich verwandten Turkvölkern, propagiert, um die Beziehung zur EU zu lockern. Die noch extremere Rechte habe im Nahen Osten stets die Palästinenser unterstützt und gute Beziehungen zur Hamas gepflegt. Nun seien Victor Orbán plötzlich Frauenrechte wichtig, dabei habe er selbst nicht

eine einzige Ministerin in seiner Regierung. Die Flüchtlingskrise nutze er, um die Furcht vor dem Fremden in
ganz Europa zu schüren und so seine Vorstellung von ho-
mogenen Nationen durchzusetzen. Letztlich sei die Frage:
Wollen wir Europa, oder wollen wir es nicht? Vordergrün- *super*
dig gehe es in Ungarn um Muslime, tatsächlich jedoch
um jede Form von Abweichung, um Fremdheit über- *deviate*
haupt, Homosexualität, Juden, Roma, kritische Medien,
Opposition. Ob er selbst schon darüber nachgedacht
habe, anderswo politisches Asyl zu beantragen, fragte ich
scherzhaft. *jokingly*
– Wenn sie anfangen, meine Bücher zu zensieren, werde
ich Ungarn verlassen, antwortete Györgi Dragomán.

Warum kommt ihr denn alle?

Während ich das schreibe, läuft wieder eine Gruppe Afghanen am Hotel vorbei, nur daß diesmal eine junge, unverschleierte Frau in Jeans unter ihnen ist, ganz sicher
eine Städterin. Das ist ungewöhnlich. Fast alle Afghanen,
die mir entgegenkamen, als ich auf dem Flüchtlingstreck
über den Balkan nach Lesbos reise, stammen aus ländli-
chen Gebieten, sprechen keine andere ⮞ *Folgende Seiten:*
Sprache als Dari und sind erkennbar nicht *Opatovac, Kroatien:*
die Facharbeiter und Ingenieure, auf die *Flüchtlinge warten vor*
Deutschlands Wirtschaft hofft. *dem Aufnahmelager*
darauf, registriert zu
– Warum kommt ihr denn alle? fragte ich, *werden.*

19

als ich gestern wenigstens die Alten, Frauen und Kinder im Auto mitnahm, jedesmal neun, zehn Menschen aufs Dichteste gedrängt im kleinen Jeep: Was glaubt ihr denn, was ihr in Deutschland findet?

– Arbeit, antworteten sie, Schule, ein bißchen Sicherheit: Es gibt keine Zukunft in Afghanistan.

– Und warum alle jetzt? fragte ich weiter und verwies auf die Zukunft, die es in Afghanistan letztes Jahr doch ebensowenig gab.

– Im Fernsehen hieß es, daß Deutschland Flüchtlinge aufnimmt, erklärten sie ein ums andere Mal, warum sie sich Anfang September auf den Weg gemacht haben: Wir haben auch die Bilder von den deutschen Bahnhöfen gesehen.

Die meisten verkauften ihren Besitz und schlugen sich nach Iran und zu Fuß über die Berge in die Türkei durch, ohne sich eine Herberge oder warmes Essen zu leisten, heuerten in Izmir einen Schlepper an, der ihnen mitunter mehr als die vereinbarten 1200 Euro abnahm, stellten auf dem Boot oft fest, daß sie zu viele waren, so daß sie alles Gepäck ins Meer warfen, und fragten sich, auf Lesbos eingetroffen, wie sie mit leeren Händen oder gar ohne Geld bloß weiter nach Deutschland kommen sollten. O Scheiße, dachte ich, so war das mit der Willkommenskultur nicht gemeint.

– Und jetzt?

65 Euro benötigen sie für die Fähre nach Piräus, erklärte ich ihnen, 40 Euro für den Bus an die mazedoni-

sche Grenze, der Zug durch Mazedonien kostenlos, 35 Euro für den Bus durch Serbien, dann wieder kostenlos mit Zügen und Bussen über Kroatien, Ungarn, Österreich nach Deutschland. Nachts würden sie hoffentlich zurechtkommen, an den Grenzen hätten Hilfsorganisationen Zelte aufgebaut, in denen allerdings nicht immer alle Platz fänden; immerhin sei ab Mazedonien auch für ein bißchen Essen und etwa Windeln gesorgt. Und ja, *diapers* die Grenzen seien gerade offen, niemand wisse, wie lange.

– Aber sagt euren Verwandten bloß nicht, daß sie sich ebenfalls auf den Weg machen sollen, schob ich jedesmal hinterher: Seit wann glaubt ihr denn dem Fernsehen?

Schon kommt die nächste Gruppe, die sechste innerhalb von zwei Stunden, erneut vierzig, fünfzig Flüchtlinge, die auf einem Schlauchboot zusammengepfercht saßen, diesmal ganze Familien unter ihnen, Babys sogar. Manche Flüchtlinge tragen über den Schultern die golden und silbern glänzenden Isolierdecken, die im Wind knistern, sind also wohl durchnäßt gewesen und wurden von den freiwilligen Helfern versorgt, die an der Nordküste von Lesbos auf die Schlauchboote warten. Eigentlich müßte ich aufspringen und wenigstens die Alten, Mütter und Kinder hinauf zur Haltestelle fahren. Die jungen Männer werden ohnehin noch weitere fünfzig Kilometer zum Hafen laufen, wo sie auf dem Parkplatz campieren, bis sie einen Platz auf der Fähre nach Piräus ergattern, sofern sie 65 Euro für das Ticket haben.

Das europäische Grenzregime

Weil Ungarn die Grenze zu Serbien für Flüchtlinge abgesperrt hatte, fuhren wir von Budapest nach Šid an der serbischen Grenze zu Kroatien. Gerade als wir an dem kleinen Übergang eintrafen, hatte Kroatien die Flüchtlinge, die tagelang auf einem Friedhof zwischen beiden Grenzposten festgesessen hatten, doch noch passieren lassen. Zwischen und vor den Grabsteinen sahen wir ihre Hinterlassenschaften, gewöhnliche Campingzelte, die Freiwillige zur Verfügung gestellt hatten, Windeln, Wasserflaschen, christliche Missionsbroschüren in verschiedenen Sprachen, leere Konservendosen, Decken, viel Abfall, wo es keine Mülltonnen gab. Einige Kilometer weiter westlich begann das europäische Grenzregime, wieder regulär zu werden: Die kroatische Polizei sammelte die Flüchtlinge in Gefängniswagen ein und fuhr sie zu einem Camp in der Nähe des Ortes Opatovac. Sie wirkten nicht verärgert, als sie eintrafen, schienen eher erleichtert zu sein, daß es überhaupt weiterging. Auch während sie anstanden, stundenlang, um sich registrieren zu lassen, beschwerten sie sich nicht. Trotz der Widrigkeit der Umstände – ein improvisiertes, für täglich mehrere tausend Flüchtlinge viel zu kleines Lager aus Militärzelten mitten auf einem windigen, schon herbstlich kühlen Feld – war die Stimmung geradezu geschäftsmäßig: kein lautes

Wort, hin und wieder sogar ein Lächeln. Wo nötig, munterten Helfer die Kinder auf.

Zufällig interviewte ich den kroatischen Innenminister Ranko Ostojić,der in Trekkinghose aus dem Dienstwagen gestiegen war, als wolle er ebenfalls nach Deutschland marschieren; drei, vier kroatische Journalisten waren über den Besuch informiert worden, aber leider nicht die Weltpresse, so daß ich ungefragt zum Minister geführt wurde. Der Minister versicherte, daß Kroatien die Flüchtlinge anständig behandele, gern könne ich mir über alle Abläufe ein eigenes Urteil bilden, Feldbetten gebe es, ausreichend Nahrung, Ärzte und sogar Duschen. Besonders stolz war er, daß kein Flüchtling länger als vierundzwanzig Stunden in Kroatien bleibt. Wenn die Kapazitäten es erlauben, werden die Flüchtlinge sofort nach der Registrierung zum nächstgelegenen Bahnhof gebracht, von wo sie in Sonderzügen nach Ungarn fahren. Nach Ungarn? Ja, nach Ungarn, das ist auch wieder so eine Merkwürdigkeit in diesen europäischen Zeiten: Ungarn brüstet sich, die Grenze nach Serbien mit Zäunen und Stacheldraht gegen den Ansturm der Flüchtlinge zu verteidigen und läßt die gleichen Flüchtlinge stillschweigend über Kroatien einreisen, sofern sie nur umgehend nach Österreich weiterfahren; mit kostenlosen Bussen hilft der ungarische Staat sogar nach. Natürlich führt das Europa als Solidargemeinschaft ad absurdum; wer über andere Länder klagt, die sich die Flüchtlinge mittels weit geöffneter Ausgänge vom Hals schaffen, sollte allerdings daran erinnert werden, daß Deutschland selbst sich gegen eine gerechte Verteilung gesperrt hatte, solange Griechen oder Italiener die Hauptlast trugen. Die Flüchtlingskrise hat nicht erst begonnen, als Deutschland sie bemerkte.

Was passieren würde, wenn die Deutschen ihre Grenzen schlössen, fragte ich den kroatischen Innenminister.

– Das geht nicht, antwortete der Minister.

– Wie, das geht nicht?

– Menschen, die so verzweifelt sind, können Sie nicht aufhalten. Wenn sie an der einen Stelle nicht durchkommen, suchen sie sich eine andere. Und wenn Sie Mauern errichten, bleiben sie vor den Mauern sitzen, bis wir den Anblick nicht mehr aushalten. Letztlich ist die einzige Möglichkeit, Flüchtlinge aufzuhalten, auf sie zu schießen. Niemand will das.

Natürlich fordert es Deutschland, innerhalb eines Jahres mehr als eine Million Flüchtlinge aufzunehmen, überfordert es Deutschland an vielen Stellen auch. In den wohlhabenden Vierteln und Kommunen mag die Hilfe leichter fallen, aber wo man jetzt schon unter Arbeitslosigkeit und sozialen Konflikten ächzt, darf man ruhig auch stöhnen, wenn noch mehr Mittellose zu versorgen, noch mehr Fremde einzugemeinden sind. Allerdings muß man sich auch klarmachen, was geschehen würde oder mancherorts bereits geschieht, wenn man sich zu Härte und Abschottung entschließt. Das eigene Herz würde verhärten und die Offenheit verkümmern, die Europa als Projekt und Folge der Aufklärung ausmacht.

Man würde nicht mehr nur vor den Grenzen Europas, sondern unmittelbar an den Grenzen Deutschlands ein gewaltiges Elend sehen, ohne die Hand auszustrecken. Dafür jedoch muß man den Fremden dämonisieren, muß ihm sein Schicksal selbst zuschreiben – seiner Kultur, Rasse oder Religion –, ihn in Büchern, Medien und schließlich sogar auf Plakatwänden herabsetzen, immer nur das Schlechte an ihm hervorheben und ihn so zum Barbaren machen, um sein Leid nicht an sich heranzulassen. Wollen wir Europa, oder wollen wir es nicht?

Es ist kein Zufall, daß es das Bild eines ertrunkenen Kindes war, das wie kein anderes ins allgemeine Bewußtsein drang und dem Mitgefühl Bahn brach. Kinder entziehen sich den Mechanismen öffentlicher Verachtung, weil sie für ihr Schicksal kaum selbst verantwortlich gemacht werden können. Man muß sein Herz schon gewaltig zugeschnürt haben, um sich eines Kindes nicht zu erbarmen. Es geht, aber es geht nicht, ohne die eigene Persönlichkeit zu verstümmeln. Jeder konnte im Fernsehen beobachten, wie unwohl sich die Bundeskanzlerin fühlte – sichtbar körperlich unwohl, man denke nur an die ungelenke Geste des Streichelns –, weil sie dem weinenden palästinensischen Mädchen keine andere als die korrekte Antwort geben konnte, daß nicht alle Flüchtlinge aufgenommen werden. So viel aufgeräumter sah die Kanzlerin aus, als sie Wochen später beim Selfie neben

> ➤ *Folgende Seiten: Opatovac, Kroatien: Afghanische Flüchtlinge warten in einem Gefängniswagen darauf, aussteigen zu dürfen, um sich im Lager registrieren zu lassen.*

Flüchtlingen stand, wirkt auch in ihren Interviews erstaunlich gelöst, seit sie mit Deutschlands Offenheit sichtbar eine Herzensangelegenheit vertritt. Es tut gut, gut zu sein, auch mir, wenn ich Bericht erstatte: auch das eine Erleichterung, während ich weiter mein Wohlstandsleben führe.

Bei Opatovac wurden die Flüchtlinge erst aus den Gefängniswagen gelassen, als die Schlange vor der Registrierungsstelle wieder etwas kürzer geworden war. Oft warteten sie eine halbe oder sogar eine ganze Stunde hinter Gittern und hatten es doch besser, als wenn sie in der kühlen Abendluft auf freiem Feld hätten stehen müssen. Nur den Kindern fiel das Warten auf engstem Raum schwer. Der Polizist, dem die Gefängniswagen zugeteilt waren, ein gescheitelter Kroate von schätzungsweise fünfzig Jahren, öffnete stumm die Türen, reichte den Alten zwar die Hand oder hob die Kinder aus dem Wagen, lächelte jedoch nie. Nur einmal strich ein syrisches Mädchen von vielleicht fünf Jahren mit schwarzen, schulterlangen Haaren und hellem, freundlichen Blick, während es aus dem Wagen gehoben wurde, dem Polizisten so zärtlich über die blaue Uniform, mit der flachen Hand von der Schulter bis fast hinunter zum Bauch, als sei er eine Kostbarkeit, daß dem Polizisten die Tränen kamen. Das Ganze dauerte nicht einmal eine, allenfalls zwei Sekunden, doch stand ich nur einen Meter entfernt und sah es genau, sah die Geste des Mädchens, die für mich genauso überraschend war, und die Feuchtigkeit, die sich in den

Augen des Polizisten bildete. Einen Moment länger als üblich hielt der Polizist das Mädchen im Arm, das den Blick freudestrahlend erwiderte. Dann setzte er es ab, das Mädchen hüpfte der Mutter nach, um sich in die Schlange einzureihen. Während er sich die Träne aus dem Auge wischte, bemerkte der Polizist, daß ich die Szene beobachtet hatte; sofort schaute er weg, als hätte ich ihn bei einer Ungehörigkeit ertappt.

– Sie brauchen sich nicht zu schämen, hätte ich dem Polizisten am liebsten zugerufen

Kulturschock

Heute bin ich mit dem Photographen Moises Saman, der mich auf dieser Reise begleitet, über eine unwegsame Piste zum Leuchtturm an der Nordwestspitze von Lesbos gefahren, wo ebenfalls viele Boote landen, jedoch weit und breit kein Helfer ist. Es ist ein seltsamer, manchmal fast makabrer Anblick, wenn die Flüchtlinge bei ihrer Ankunft ungefragt geherzt werden von langhaarigen Männern oder knapp bekleideten Frauen, die signalgelbe Westen tragen und *welcome welcome* schreien. Wenn ich ein Afghane wäre, würde ich bei einer so kuriosen Herzlichkeit vielleicht lieber umkehren wollen.

Ach, das ist ungerecht. Bei vollständiger Teilnahmslosigkeit des griechischen Staates – hat Griechenland nicht eigentlich eine linke Regierung? – leisten die Helfer

Großartiges auf Lesbos, halten warme Kleidung und die goldsilbernen Schutzdecken bereit, verteilen Sandwiches und Wasser und stellen Zelte auf, falls es zu spät ist, um noch weiterzukommen. Ärzte, die ihren Urlaub drangegeben haben, betreuen die Versehrten und beruhigen die Traumatisierten. Rührend zu beobachten ist auch, wie sich unter den Helfern die Kulturen mischen, selbst die israelische und die islamische NGO sitzen abends in der Taverne beisammen. Vor allem aber staune ich, daß es neben den wenigen professionellen Helfern und politischen Aktivisten fast ausschließlich junge Leute sind, die sich auf Lesbos oder an den Grenzstationen entlang des Trecks für die Flüchtlinge engagieren, zwanzig, fünfundzwanzig Jahre alt wie viele der Flüchtlinge und damit eine Generation, die man allzugern für unpolitisch und selbstsüchtig hält. Warum es Europa braucht, muß ihnen nach diesem Crashkurs in Lebenserfahrung und Weltpolitik keine Sonntagsrede mehr erklären: Aus jedem der Boote springen ihnen Todesangst und Freudentränen, Existenznot und Dankbarkeit, Stoßgebete und bohrende Fragen entgegen. Selbst für die Helfer ist es jedesmal eine Grenzerfahrung, wenn sie ein Baby an sich nehmen und auf den rutschigen Felsen vorsichtig zum nächsten Strand tragen, dabei beruhigend auf das Baby einreden, das sie mit beiden Armen an die Brust drücken, damit es zugleich gekost und gewärmt wird, bis endlich die Eltern klitschnaß neben ihnen stehen, zitternd vor Kälte und Glück: Die ganz großen Gefühle erfassen unweigerlich

einen selbst, Tränen, Zärtlichkeit und jedesmal Wut
über eine europäische Asylpolitik, die wie in einem per-
versen Aufnahmeritus Schutzsuchenden diese Tortur,
diese Lebensgefahr auferlegt. Es ist genau so, wie Eva
sagte, alle Helfer bestätigen das: Einmal persönlich berührt, von konkreten menschlichen Begegnungen er- *jerk/shock*
schüttert, wird die Not außerhalb Europas die jungen
Menschen nicht mehr so leicht loslassen, die sich für
Flüchtlinge engagieren.

Und doch legen einzelne und zumal manche politi-
sche Aktivisten eine Selbstgerechtigkeit an den Tag, einen
Paternalismus gegenüber den Flüchtlingen und eine ag-
gressive Besserwisserei, daß man sich mitunter den guten
alten Arbeiter-Samariter-Bund herbeiwünschte oder die
Heilsarmee. Mehr als einmal kommt mir die Frage, warum
sich so viele Hände den anlegenden Flüchtlingen entge-
genstrecken, während im Hinterland, wo die Hilfe einen
nicht mit den ganz großen Emotionen beschenkt, nur ver-
gleichsweise wenige Aktivisten tätig sind. Daß es manchmal vor allem einem selbst gut tut, gut zu sein, auch das
läßt sich beobachten an der Nordküste von Lesbos. Die
Frage kommt den Tätowierten und Leichtbekleideten
nicht in den Sinn, ob ihr Freiheitsbegriff ein anderer sein
könnte als jener der Afghanen und Syrer,
die sie gleich welchen Geschlechts *welcome*
welcome an die Brust drücken.

Gut, andererseits ist der Kulturschock,
den viele Flüchtlinge bei ihrer Landung er-

> *Folgende Seiten:*
> *Miratovac, Serbien: Ein*
> *Flüchtlingskind unter*
> *einem Regencape im*
> *Niemandsland zwischen*
> *Mazedonien und Serbien.*

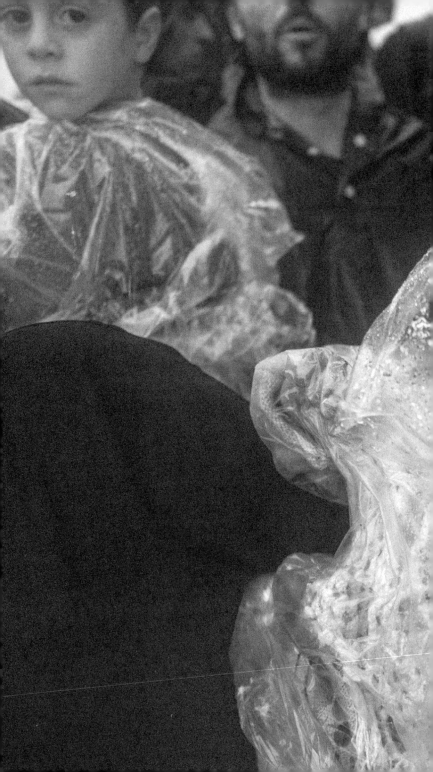

leben, vielleicht eine ideale Vorbereitung auf den manchmal auch sehr kurios freien Westen. Und die Berichterstatter, erst recht die Photographen, die an der Nordküste ebenfalls zahlreich auf die Flüchtlinge warten, sind auch nicht immer das Feingefühl in Person, rennen mit ihren Kameras ins Wasser, um zuerst bei den Booten zu sein, und schreien die Helfer an, gefälligst aus dem Bild zu gehen. In den zwei Tagen, seit ich auf Lesbos bin, habe ich Rangeleien und einmal eine regelrechte Prügelei zwischen Helfern und Photographen erlebt. Ich selbst wurde von einem Kamerateam zur Schnecke gemacht, weil ich drei Minuten die Piste versperrte, als ich anhielt, um durchnäßte Frauen und Kinder in den Jeep steigen zu lassen. Natürlich arbeiten nicht alle Photographen so rücksichtslos, schon gar nicht Moises, so zielstrebig er ebenfalls ist. Deshalb fährt er an die Nordwestspitze der Insel, wo er niemandem im Weg steht. Dem Impuls, die Hand zu reichen, darf er nicht sofort nachgeben, weil seine Aufgabe eine andere ist. Vielleicht ist es in der Politik auch nicht immer richtig, dem Impuls zu folgen, wenn man helfen will. Oft allerdings schon. Nur wann? Man muß sich nur ausmalen, was mit den Tausenden Verzweifelten auf der ungarischen Autobahn geschehen wäre – und zwar konkret: wo hätten sie geschlafen, wer hätte sie versorgt, mit welchen Gewaltmitteln hätte man sie an der Grenze aufgehalten –, wenn Deutschland die Grenzen nicht für sie geöffnet hätte. Indessen hat sich die so unerwartete Hilfsbereitschaft wie mit der stillen Post in eine

Einladung verwandelt, die noch im afghanischen Fernsehen ausgestrahlt wird.

Leider ist der Wind heute stürmisch, das Meer von Schaumkronen bedeckt – oder soll man erleichtert sein, wenn keine Boote übersetzen? Vergeblich halten wir nach roten Punkten Ausschau, zu denen sich die Schwimmwesten aus der Ferne vereinigen. An gewöhnlichen Tagen sind es drei- oder sogar viertausend Flüchtlinge, die an der Nordküste anlegen, meist innerhalb weniger Stunden bis zu hundert Schlauchboote auf einem Küstenabschnitt von wenigen Kilometern. Auf dem Strand direkt unterhalb des Leuchtturms ist kein einziger Kiesel zu sehen, weil er vollständig von Schwimmwesten, Schwimmreifen und den Überbleibseln der Schlauchboote bedeckt ist. Blickt man von hier die Küste entlang, leuchtet Lesbos vom Rot und Orange der Schwimmwesten kilometerweit auf. Allerdings bleibt nicht alles zurück: Wo immer Boote anlegen, fährt bald ein Pickup vor, auf den der Fahrer den Motor und den festen Kunststoffboden des Bootes lädt. Zurück bleibt lediglich der schwarze Schlauch. Die Flüchtlinge, die sich derweil zum Aufbruch versammeln, nimmt der Pickup nicht mit. Das wirkt oft ebenso erbarmungslos wie der Ehrgeiz von uns Berichterstattern, die größten Emotionen, das beste Bild zu bekommen, und wird doch von Tag zu Tag verständlicher, wenn man auf der Insel selbst versucht, seiner Arbeit nachzugehen. Die Einheimischen sind schließlich nicht für einen begrenzten Einsatz hier, sondern dauerhaft: Das stumpft ab. Ich merke es an mir selbst: Ich kann auch nicht den ganzen Tag Flüchtlinge hin- und herfahren oder für sie dolmetschen, wenn ich noch zum Schreiben kommen will, und fahre inzwischen meist achtlos an ihnen vorbei.

Mit Moises hatte ich am ersten Tag eine Diskussion, weil ich Flüchtlinge, die im Niemandsland gestrandet waren, zum Hafen fahren wollte, er jedoch darauf beharrte, dafür seien wir nicht hier. Ich hatte ihm schon recht gegeben und war schlechten Gewissens in den Jeep gestiegen, ohne die Flüchtlinge mitzunehmen, als der Wagen kurz darauf im Graben landete. Und was geschah? Die Syrer, die eine halbe Stunde zuvor aus dem Schlauchboot gestiegen waren, hoben unseren Jeep ungefragt hoch, um ihn zurück auf die Piste zu tragen. Zum Glück waren genug junge Männer dabei.

Mitten in der Stadt

Ebenso wie auf Lesbos geht in Belgrad das Leben weiter, und hier campieren die Flüchtlinge in den Grünanlagen vor dem Bahnhof, also mitten in der Stadt. Genaugenommen sind es ehemalige Grünanlagen, weil der Boden nur noch aus nackter Erde besteht. Als wir abends eintrafen, regnete es Sturzbäche und waren nur die bunten Campingzelte zu sehen, die wie übergroße Pilze unter den Bäumen wuchsen. Dann bemerkten wir, daß sich hier und dort die Zeltwände bewegten, und schlossen, daß dahinter Menschen saßen, dicht an dicht. Andere Flüchtlinge entdeckten wir, als wir an einem Parkhaus hinaufschauten. Zwischen den Autos kauerten sie, in braune Decken gehüllt. Man wird rasch wetterfühlig, wenn man nach Europa flieht. Es ist nicht nur die Nässe, nicht nur die Kälte, es ist auch der Schlamm, der Schmutz, den jeder Regen mit sich bringt. Wo werden sie sich trocknen, wo sich waschen, wann das nächste Mal ihre Kleidung wechseln können? Und wie wird es, wenn der Herbst erst richtig hereinbricht?

Seit Anfang des Jahres haben sich die Flüchtlinge im Zentrum von Belgrad gesammelt, zeitweise mehrere tausend, und da waren noch nicht diejenigen mitgezählt, die in Pensionen unterkamen. Jetzt sind es immer noch Hunderte, die vor dem Bahnhof campieren, obwohl der Weg nach Kroatien und weiter nach Deutschland offen ist. Es sind die Ärmsten und damit fast alles Afghanen: Sie besitzen nicht einmal mehr die zehn Euro für den Bus nach Šid. Mit Nahrung und Kleidung werden sie von freiwilligen Helfern und vom Roten Kreuz versorgt; die Stadtverwaltung hat nach mehreren Monaten immerhin Dixi-Klos bereitgestellt und eine medizinische Praxis unter einer Zeltplane eingerichtet. Der Staat hingegen tut nichts, obwohl es ein Leichtes sein müßte, ein paar hundert oder sagen wir tausend Flüchtlinge an die Grenze zu fahren, die ohnehin nichts lieber wollen als wegzukommen. Offenbar hat sich Serbien längst an den Anblick gewöhnt. Als wir am nächsten Morgen bei Sonnenschein zum Park zurückkehrten, den eine deutsche Öffentlichkeit für den Inbegriff des Staatsversagens, der Asylantenflut, ja, eines apokalyptischen Chaos hielte, staunte ich, daß ringsum die Geschäfte und Cafés geöffnet waren, der Verkehr sich ganz normal staute, die Bürgersteige so belebt waren wie eh und je. Die Afghanen bestätigten, daß nur wenige Belgrader ihnen gegenüber feindselig sind. Das ist natürlich ebenfalls eine Möglichkeit, mit den Flüchtlingen umzugehen: sie weder zu dämonisieren noch zu versorgen, sondern einfach ihrem Schicksal zu überlassen.

Ganz am Rand eines der Parks, von einem Gebüsch halb versteckt, sah ich einen kaum sechzehnjährigen, ziemlich dunkelhäutigen Jungen unter einer der braunen Decken liegen. Die Haare des Jungen standen wild ab, als hätte er sie mit Gel eingeschmiert, und Schlamm bedeckte das Gesicht und die Gliedmaßen. Sein Leib war vom Schüttelfrost gepackt, schwer keuchte er im Schlaf. Am erschreckendsten aber waren die nackten Füße – kaum ein heiles Stück Haut hatten die Schwielen, blauen Flecken und offenen Blasen übriggelassen. Ich fragte mich, wie weit, aus welchem Land der Junge wohl bis nach Belgrad gelaufen war. Und warum hatte er gestern nacht weder in einem Zelt noch im Parkhaus Unterschlupf gefunden? Weil ich ihn für einen Paschtunen hielt, ging ich zu den Afghanen, die in der Nähe campierten, und bat sie, mit zu dem Jungen zu kommen; vielleicht wüßten sie, was mit ihm los war. Aber niemand kannte den Jungen. Schließlich schüttelten wir ihn, um ihn aufzuwecken und zu der Arztstation am anderen Ende des Parks zu bringen. Als der Junge die Augen öffnete, schien er in einem solchen Delirium, daß er uns wohl für Traumgestalten hielt. Stöhnend brachte er einige Sätze hervor. Dann ging mir auf, daß der Junge Serbisch sprach. Die Roma flüchten schon seit vielen Jahren hierhin.

Autobahn nach Deutschland

Ich bin wieder zu meinem Platz auf der Veranda zurückgekehrt und verbinde die Geschichten, die ich gehört habe, mit den Flüchtlingen, die am Hotel vorbeilaufen, jetzt gerade Syrer oder Iraker, viele junge Leute diesmal, Männer und durchweg unverschleierte Frauen, die äußerlich nicht von den Helfern zu unterscheiden wären, wenn sie sich eine signalgelbe Weste überzögen. Die Frisuren, Markenjeans und Markenturnschuhe, die Sonnenbrillen und Ohrstöpsel zum Musikhören weisen sie als Angehörige der globalen Mittelschicht aus; selbst die Rucksäcke sind die gleichen, mit denen man im Westen zum Trecken geht. Sie gehören nicht zu den Habenichtsen, die die Mehrheit der Flüchtlinge bilden, werden sich in Mytilini wahrscheinlich ein

➤ *Folgende Seiten:*
Gevgelija, Mazedonien:
Flüchtlinge, die von
Griechenland über die
grüne Grenze gelaufen
sind, erreichen den
mazedonischen Grenzort.

Hostel leisten, statt am Hafen zu übernachten, und kommen in Europa schneller durch, schon weil sie Englisch sprechen und Smartphones besitzen. Und doch hätten auch sie, jeder einzelne von ihnen, eine Geschichte zu erzählen, die an Dramatik, an Leid, an Gewalt kein westeuropäisches Leben mehr bereithält, Faßbomben, die auf ihre Städte niedergingen, Gekreuzigte, die tagelang zur Schau gestellt wurden, Folter wegen eines kritisches Theaterstücks. Es herrscht Krieg an den südlichen und östlichen Grenzen unseres Wohlstandsghettos, und jeder einzelne Flüchtling ist dessen Bote: Sie sind der Einbruch der Wirklichkeit in unser Bewußtsein.

Sofern sie den Marsch zum Hafen unbeschadet überstehen, werden sie in sechs, sieben Tagen an einem deutschen Bahnhof aussteigen. Sie ahnen selbst nicht, wie zügig es ab Piräus geht, fahren mit Bussen direkt an die mazedonische Grenze, marschieren zwei, drei Kilometer durchs Niemandsland, werden registriert, steigen in Züge, die direkt an die serbische Grenze fahren, marschieren wieder durchs Niemandsland und steigen nach der Registrierung in Busse. Dasselbe an der kroatischen, der ungarischen, der österreichischen Grenze, nur daß sie von hier nicht mehr über die Grenzen laufen müssen, sondern gefahren werden, alles zusammen eine Autobahn nach Deutschland, die das europäische Grenzregime den Flüchtlingen gebaut hat. Und wirklich, nach Deutschland wollten alle, mit denen ich sprach, manche nur von Deutschland weiter nach Skandinavien oder in andere

Länder, wo sie Familie haben. Die einzelnen Haltepunkte sind für die Flüchtlinge kaum voneinander zu unterscheiden: Sicher, die Uniformen und Sprachen der Beamten wechseln, aber gleich bleiben die Feldlager, Campingzelte und Container, gleich die braunen Decken, durchsichtigen Regencapes und zusammenschiebbaren Regenschirme, die das Flüchtlingswerk der Vereinten Nationen verteilt, gleich die Polizisten und Soldaten, die wie auf gemeinsamen europäischen Befehl weder unhöflich noch sonderlich freundlich sind, gleich die freiwilligen Helfer in ihren signalgelben Westen, die Essen, Windeln, wärmere Kleidung und Stecker zum Aufladen der Handys organisieren, überall gleich auch die Ärzte ohne Grenzen mit ihren Stethoskopen und die christlichen Missionare mit ihren Broschüren. Und an jeder improvisierten Grenzstation und jedem Umsteigebahnhof zwischen Piräus und München stehen aneinandergereiht die himmelblauen Dixi-Klos. So weit immerhin reicht die Einigkeit Europas, daß Flüchtlinge ihre Notdurft nicht auf freiem Feld verrichten müssen, sondern über Tage und Wochen in stinkenden, verdreckten Plastikkabinen. Die Dixi-Klos sind das Erkennungszeichen der europäischen Humanität.

An allen Stationen des Flüchtlingstrecks hat sich auch eine kleine multikulturelle Wirtschaft herausgebildet, plötzlich wird im hintersten serbischen Dorf afghanischer Pilaw angeboten, im makedonischen Café Tee getrunken, in Belgrad der Preis für einen Haarschnitt oder eine Herberge auch auf arabisch annonciert. Taxifahrer heben ihre Preise kräftig an, und wenn der offizielle Preis für die Fahrt durch Serbien dreißig Euro beträgt, müssen die Flüchtlinge beim Einsteigen in den Bus fünfunddreißig bezahlen. Solche kleinen Aufpreise sind natürlich nichts gegen den Wucher, den die Schlepper betreiben: Deutlich mehr als fünfzigtausend Euro nehmen sie für jedes Schlauchboot ein, das zwei- oder dreitausend gekostet haben mag, und oft betrügen sie die Flüchtlinge, verkaufen mehr Plätze, als es noch so dichtgedrängt gibt, so daß sie alles Gepäck zurücklassen müssen.

Selbst die Grenzpolizisten können sich ein Zubrot verdienen, wenn sie wahlweise die Grenzen oder die Augen schließen. Alle Welt erschrak im Sommer über die Bilder von der Grenze zwischen Griechenland und Mazedonien, als Flüchtlinge mit Knüppeln, Tränengas, Blendgranaten und sogar Schüssen abgedrängt wurden. Profitiert hat die einheimische Mafia, die jeden zahlungsfähigen Flüchtling dennoch über die Grenzen schleuste. Es gibt zahlreiche Berichte, wonach die mazedonischen Behörden bewußt die Grenzen schlossen, um an dem Geschäft teilzuhaben. Ob das nun wahr ist oder nicht – daß das gesamte europäische Asylsystem ein Wahnsinn ist, bestreitet kein Offizieller, den ich getroffen habe. Nur muß man sich dann auch klarmachen, was der Grund für diesen Wahnsinn ist: Daß Flüchtlinge keine andere Möglichkeit haben, in Europa Asyl zu beantragen, als illegal einzureisen. Die europäischen Asylvereinbarungen sind nichts anderes als eine massive staatliche Förderung der Schlepperindustrie.

Allein, nicht nur die Schlepper, auch der Rechtspopulismus profitiert, der das Chaos an den Grenzen zum Beleg nimmt, um den Untergang des Abendlandes zu beschwören. Eben weil sie Europa seine Offenheit austreiben wollen, verweigern sich die ungarische und andere nationalistische Regierungen den Vorschlägen der europäischen Kommission, gesicherte Fluchtwege zu schaffen und die Flüchtlinge auf alle Mitgliedstaaten zu verteilen. So fördern diejenigen, die am lautesten gegen das Chaos entlang des Trecks wettern, gezielt die irregulären Wanderungsbewegungen, indem sie Zäune bauen, Flüchtlinge unversorgt lassen oder sie ohne Absprache, häufig ohne Registrierung, an ihren Außengrenzen abladen. Angesichts eines solchen unverblümten Egoismus kommt es mir geradezu unpatriotisch vor, wenn sich Teile der Bundesregierung ausgerechnet mit Victor Orbán gemein machen, um die eigene Politik und die Hilfsbereitschaft so vieler Deutscher zu desavouieren. Statt ebenfalls Zäune zu bauen, sollten wir für Europa eintreten, das diese Krise nur solidarisch bewältigen kann. Das gilt für die Aufnahme der Flüchtlinge, das gilt fast mehr noch für die Fluchtursachen: Nur ein starkes, einiges und freiheitliches Europa könnte die Welt zu befrieden helfen, aus der so viele Menschen zu uns fliehen.

Richtig, es gibt kein Zaubermittel, durch das sich die Flüchtlingskrise in Luft auflösen würde, dafür sind Krieg und Not

➤ *Folgende Seiten: Lesbos, Griechenland: Ein Flüchtling, der soeben an einem Strand an der Nordküste gelandet ist, winkt Flüchtlingen auf einem weiteren Schlauchboot zu.*

zu nah an Europa herangerückt, um gar nicht erst von anderen, tiefer liegenden Fluchtursachen wie der Versteppung zu sprechen – Folge vor allem des Klimawandels –, die Jahr für Jahr Ackerland etwa in der Größe der Schweiz vernichtet. Gleichwohl liegen seit langem praktikable Vorschläge vor, mit denen sich die Wanderungsbewegungen immerhin steuern und geordneter bewältigen ließen. Dazu gehört es, Einwanderung und politisches Asyl endlich voneinander zu trennen. Dazu gehört es aber auch, die Genfer Flüchtlingskonvention um Zusatzprotokolle zu erweitern, damit sie etwa auch umweltbedingte Fluchtgründe anerkennt. Während sich die Einwanderung nach den Bedürfnissen der Aufnahmeländer richten dürfte, bliebe das Asyl ausschließlich den Schutzbedürftigen vorbehalten. Das würde ebenfalls den Druck an den Außengrenzen spürbar reduzieren und so auch ihre Sicherung überhaupt erst wieder ermöglichen, denn wer auf eine legale Einwanderung hoffen darf, wird seine Zeit und sein Geld nicht in die gefährliche, kostspielige Flucht, sondern in seine Qualifizierung und den Spracherwerb investieren. Noch dringlicher ist es, Flüchtlinge nahe ihrer Heimat zu unterstützen, also etwa konkret in den Camps rund um Syrien und im Nordirak, denn viele warten darauf, in ihre Heimat zurückzukehren, oder würden das Exil in einer vertrauten Kultur und Sprache vorziehen, wenn sich in den Nachbarländern nur irgendeine Perspektive böte. Zu akzeptieren, daß man Menschen abweist beziehungsweise abschiebt, wenn sie weder bedroht sind noch eine

Perspektive haben, Arbeit zu finden, fällt zumal einem Einwandererkind wie mir schwer, gehört aber wohl ebenfalls zu einer realistischen Politik.

Unrealistisch, ja geradezu irrational, weil von der empirischen Erfahrung bereits mehrfach widerlegt, ist dagegen die Vorstellung, die Flüchtlingskrise durch Abschottung zu lösen. Solange es so gut wie keine Möglichkeit gibt, sich für eine legale Einwanderung zu bewerben, und Flüchtlinge an keiner europäischen Außengrenze einen Asylantrag stellen können, werden sich sowohl Einwanderer als auch Flüchtlinge weiter in die Schlauchboote setzen; und wenn Europa sie wie früher mit Militärschiffen aufzuhalten versucht, werden die Boote wieder die längeren, noch gefährlicheren Routen nehmen, mehrere hundert Kilometer quer durchs Mittelmeer oder über den Atlantik auf die Kanarischen Inseln. Dann werden uns alsbald wieder die Nachrichten von den Ertrunkenen aufschrecken, mal zweihundert, mal sechshundert, jedes Jahr mehrere tausend Tote vor unseren Grenzen, Kinder natürlich auch dabei, deren Bilder wir sehen werden. Diese Wirklichkeit kriegen wir nicht mehr aus unserem Bewußtsein heraus.

Seegang

Mit Mytilini hat das Binnenland Afghanistan seine erste Küstenstadt. Auf der Pro-

➤ *Folgende Seiten:*
Lesbos, Griechenland:
Flüchtlinge steigen aus
einem aufblasbaren
Schlauchboot, mit dem sie
von Assos in der Türkei
gekommen sind.

menade, auf der sonst Touristen auf und ab schlendern, sind heute jedenfalls vor allem Afghanen zu sehen, auch sie in Urlaubsstimmung, wie man auf den ersten Blick meinen könnte, am fröhlichsten die Familien, weil die Kinder ihre Eltern ebenfalls zum Lachen bringen. Die größten Augen machen die Kleinsten, die in – gekauften, geliehenen, geschenkten? – Buggys sitzen. Bekommen sie dann noch ein Eis spendiert, strahlen sie wie Kinder auf der ganzen Welt. Derweil sitzen die jungen Männer frisch rasiert auf der Uferbalustrade, die glänzenden Haare nach dem Vorbild auch unserer Fußballprofis oder Popstars frisiert. Wer ein Smartphone besitzt, wippt mit den Füßen zur Musik. Wohl zum ersten Mal seit Beginn ihrer Reise haben die Flüchtlinge Zeit zum Verschnaufen, zum neugierigen Schauen und Staunen: All die Segelboote, die Jachten und am Ende des Hafens die große Fähre, all die Boutiquen, Restaurants und schicken Cafés. Nur wenige werden sich ein Hotel leisten können, aber auf der Straße zu übernachten sind inzwischen alle gewohnt. Dreißig Euro kostet ein Zelt, zehn ein Schlafsack, fünf die Matte, die den Asphalt erträglicher macht; immerhin die Souveniergeschäfte von Mytilini, sofern sie ihr Angebot um Campingausrüstung erweitert haben, machen noch ein kleines Geschäft.

Die Restaurants und Cafés hingegen sind weitgehend leer – welcher Afghane kann sich schon drei Euro für einen Cappuccino leisten, wo der Tagesverdienst eines afghanischen Arztes drei Euro beträgt. *No charge phones, no wifi, no toilet* steht Din-A4-groß auf beinah allen Türen und Schaufenstern, selbst an den Kiosken. Daß die Willkommenskultur nicht eben ausgeprägt ist, ist den Bewohnern kaum zu verdenken, die mit dem Ausbleiben der Touristen ihre wichtigste Einnahmequelle verloren haben. Eher wundere ich mich, daß die Blicke und Gesten der Einheimischen häufig doch freundlich sind. Hier und da sitzen ein paar an den Tischen und staunen ihrerseits über all die exotischen Gesichter, die an ihnen vorbeiziehen, neben den Afghanen natürlich Araber, aber auch Bangladeschis, Tamilen und einzelne Schwarzafrikaner, die Frauen in leuchtenden Gewändern. In Mytilini schnuppern die Flüchtlinge zum ersten Mal Frieden. Hier zu warten, bis man einen Platz auf der Fähre nach Piräus ergattert, ist nicht von Ungewißheit und Furcht bestimmt wie auf den bisherigen Stationen, vielmehr von Erleichterung und Hoffnung.

Wir selbst kaufen uns ein Ticket, allerdings für ein kleineres Schiff und in die entgegengesetzte Richtung, nach Aydalik an der türkischen Küste. Für die Strecke, die die Flüchtlinge ein Vermögen, Herzrasen und womöglich ihr Leben kostet, bezahlen wir ein paar Euro und werden auf dem Deck noch einen Tee in der Nachmittagssonne genießen können. Der Hafen von Mytilini hat sich in eine Freiluftherberge verwandelt, mit den Containern hier und dort als Sichtschutz, dem Meer als Freibad für die jungen Leute und den unvermeidlichen

➤ *Folgende Seiten: Lesbos, Griechenland: Syrische Bootsflüchtlinge, die soeben die Nordküste erreicht haben.*

Dixi-Klos. Durch eine unscheinbare Tür, die für die Flüchtlinge versperrt bleibt, obwohl ihre Gründe zu reisen so viel dringlicher sind, betreten wir das Hafengebäude, wo die reguläre Paßkontrolle stattfindet. Sie dauert nicht länger als ein Blick auf den Ausweis und aufs Gesicht. Teilten früher Standeszugehörigkeiten die Menschheit auf, so sind es heute Staatsangehörigkeiten und Aufenthaltsrechte, die Menschen erster, zweiter und dritter Klasse schaffen – schwer für einen heutigen Westeuropäer nachzuempfinden, was Grenzen für den Bürger eines verarmten oder verfemten Staates bedeuten, geschweige denn für einen Staatenlosen oder Flüchtling.

Wir verlassen das Gebäude auf der Rückseite und finden uns in einem abgezäunten, sauberen, fast leeren Teil des Hafens wieder. Vor unserem Schiff stehen aufgereiht die kleinen Bootsmotoren, die die Pickups an der Nordküste eingesammelt haben, dutzende, hunderte: Kein Wunder, daß man immer wieder von Motoren hört, die auf dem offenen Meer ausfallen, wenn sie von den Schleppern mehrfach verkauft werden. Erst als unser Schiffchen aus dem Hafen fährt, überblicken wir die riesige Fähre am anderen Ende der Mole. Vielleicht nur, weil ich so viele Flüchtlinge getroffen habe, erinnert sie mich an einen Wal, das schmale Oberdeck als Flosse, der Schornstein zum Atmen, die geöffnete Luke ein weit aufgerissenes Maul. Oder hätte jeder Bibelleser dieselbe Assoziation? An die Arche Noah zu denken, läge wahrscheinlich näher, zumal sich bereits eine lange, endlos scheinende

Schlange von Flüchtlingen gebildet hat, obwohl die Fähre erst um Mitternacht ablegt. Anders als Jona warten sie nur darauf, in den Bauch eingelassen zu werden.

Die Überfahrt soll nur anderthalb Stunden dauern, und so lehne ich mich zurück und schließe die Augen, um die Meeresluft, das sanfte Schaukeln und die Wärme der letzten Sonnenstrahlen zu genießen. Als ich aufwache, bin ich allein auf dem Deck. Was an der Küste eine angenehme Brise war, ist auf dem offenen Meer ein kalter Sturm, in den ich mich hineinlehnen muß, um einen Schritt nach vorne zu kommen; die sanften Wellen haben sich zu einem Seegang ausgewachsen, der das Wasser noch fünf Meter hoch aufs Deck spritzen läßt. Um mich wenigstens einmal, so ungenügend auch immer, in die Flüchtlinge einzufühlen, die dasselbe Meer auf niedrigen Schlauchbooten überqueren, steige ich die Treppe hinab und hangle mich an der Reeling entlang. Am Bug angelangt, muß ich mich mit beiden Händen festhalten, so hoch geht das Schiff mit jeder Welle und stürzt es wieder ab. Schon nach einer Sekunde bin ich von Kopf bis Fuß naß und fühle den Wind auf der Haut als Eiseskälte. Und die Flüchtlinge sind nur durch eine dünne Plastikplane vom Wasser getrennt und sitzen so eng, daß sie sich nur an den Rücken ihres Vordermanns oder ihrer Vorderfrau klammern können, um nicht ins Meer zu fallen. Selbst bei idealem Wetter brauchen sie für die kürzere Strecke an die Nordküste drei

> *Folgende Seiten: Lesbos, Griechenland: Ein Vater beruhigt seine Tochter, nachdem sie auf dem Schlauchboot die Küste erreicht haben.*

Stunden, bei hohem Seegang viel länger, wenn der Motor ausfällt sogar Tage. Ich habe die erlösten oder noch von Panik gezeichneten Gesichter gesehen, als die Schlauchboote an der Nordküste anlegten, habe die Jubelschreie und Heulkrämpfe im Ohr. Jetzt wundere ich mich nicht mehr, daß sich die Flüchtlinge freiwillig auch in den Bauch eines Wals begäben.

Der menschliche Instinkt

Gegenüber der Nordküste von Lesbos, in der Türkei, liegt das antike Assos, das heute ein malerisches Fischerdorf mit einigen wenigen hübschen Hotels und Restaurants ist. In dem kaum besiedelten Küstenstreifen um Assos herum stiegen die meisten Flüchtlinge ins Schlauchboot, die an meiner Veranda vorbeiliefen. Ein paar hundert Meter hinter dem Amphitheater sitzt ein junger Mann am Straßenrand, der sich als syrischer Kurde entpuppt. Er heißt Mohammed.

– Das Boot war so voll, sagt er in gutem Englisch, da habe ich Panik bekommen und bin in letzter Sekunde zurückgeschreckt.

Mohammed studierte Betriebswirtschaft in Hasaka im Nordosten Syriens, bis die Stadt vom IS erobert wurde. Er sah mit eigenen Augen am 20. März aus nächster Nähe eine Autobombe explodieren, die sechsundzwanzig Menschen in den Tod riß, sah die Körperteile herumfliegen, hörte Schreie so laut wie bei einer Geburt und roch den beißenden Geruch von verbranntem Fleisch, träumt immer noch davon. Bei Verwandten im Nachbarstädtchen untergekommen, das noch nicht vom IS erobert war, stellte er einen Antrag, in Deutschland zu studieren. Daß seine Noten zu den besten des Jahrgangs gehörten, erwähnt Mohammed nicht aus Angeberei, sondern um zu erklären, warum er sich Hoffnung gemacht hat, legal nach Deutschland zu reisen – er sei halt mehr der ängstliche Typ. Als nach sechs Monaten immer noch keine Antwort vorlag, trotz Nachfrage nicht einmal eine Eingangsbestätigung, überwand er seine Angst und flog letzte Woche nach Beirut – von Nordsyrien direkt in die Türkei zu gelangen sei kaum noch möglich, berichtet Mohammed, in umgekehrter Richtung hingegen lasse die Türkei weiter Dschihadisten durch – und von Beirut weiter nach Istanbul, mit dem Bus nach Izmir, wo er den Schmuggler traf.

– Niemand will Frieden für Syrien, sagt Mohammed: Der IS wird bleiben, Assad wird bleiben, niemand in der Welt lehnt sich dagegen auf.

Gestern abend um elf wurde er im Auto zu einem Waldstück nahe Assos gefahren, wo schon andere Syrer versammelt waren. Vor Aufregung und Kälte schlief kaum jemand; die Flüchtlinge saßen an Bäume gelehnt, ohne etwas zu sagen. Vom Morgengrauen an beobachteten sie die Schiffe der türkischen Küstenwache, zählten, wie viele andere Boote abgefangen wurden – mindestens jedes zweite, erinnert sich Mohammed. Als sie endlich eine

Lücke ausmachten, ging es rasend schnell. Alle sprangen aufs Boot, und er stand ebenfalls schon im Wasser, da spielten ihm die Nerven einen Streich.

– Ist nicht so schlimm, sagt Mohammed, ich werd's wieder versuchen.

Zum Glück sind die 1200 Euro nicht verloren; die Flüchtlinge deponieren das Geld gewöhnlich bei einer Agentur und teilen dem Schmuggler den Kode für die Freigabe erst mit, wenn sie übergesetzt haben. Ein paar Monate wird Mohammed schwarz in einer Textilfabrik arbeiten, um die 800 Dollar zu verdienen, die ein Platz auf dem Holzboot zusätzlich kostet. Seine Freunde aus Izmir sind schon unterwegs, um ihn aus Assos abzuholen.

– Nicht so schlimm, versichert Mohammed noch einmal und zeigt auf einen Feldweg, der in den Wald hineinführt: Geht dort entlang, wenn ihr die treffen wollt, denen's wirklich schlimm geht. Aber paßt auf die Schmuggler auf.

Wo der Feldweg auf die Straße trifft, sitzen auf einem Felsen drei der Männer, die Mohammed gemeint haben muß. Mitte, Ende zwanzig sind sie und keine Dörfler wie die meisten, träumten in Kabul oder in Kunduz vom freien Westen. Vier Monate haben sie in Istanbul auf dem Bau gearbeitet, zwölf, sechzehn Stunden am Tag, sieben Tage die Woche, um das Geld für den Schlepper zu verdienen, fuhren nach Izmir und kauften die Bootsfahrt. Vorgestern wurden sie endlich in den Wald bei Assos gebracht, aber da war gar kein Boot für sie, dafür Türken, die sie mit vorgehaltenen Pistolen zwangen, den Kode zu verraten.

– Das heißt, das Geld … ?

– … futsch.   (a) ''Bust''

Seit gestern haben sie nichts gegessen, haben elenden Durst und können nun buchstäblich nicht mehr vor noch zurück. Irgendwie müssen sie es nach Istanbul oder in eine andere Großstadt schaffen, irgendwie eine Arbeit finden, aber wie soll das für einen Afghanen gehen ohne eine Lira in der Tasche, ohne Gepäck, ohne warme Kleidung? Wenn wenigstens die Polizei sie aufgriffe.

– Es war ein Fehler, Afghanistan zu verlassen, sagt einer der Männer entschieden, dort hatten wir zwar Krieg, aber wenigstens ein Dach über dem Kopf: Wir hätten das nicht tun sollen.

– Ja, wir hatten völlig falsche Vorstellungen, gibt ihm der andere recht.

Mit dem Geld, wenn sie es denn verdienen, wollen sie kein weiteres Boot bezahlen, sondern nach Afghanistan zurückkehren oder es in Iran versuchen, wo man wenigstens ihre Sprache spricht.

– Aber in Iran verachten sie uns doch auch, wendet der *object sim* dritte Afghane ein.

Ich frage, wohin der Feldweg führt.

– Dort triffst du die, die seit fünf Tagen nichts gegessen haben.

Wir gehen den Feldweg entlang und treffen fünf Afghanen, kaum zwanzig Jahre alt, die sagen, daß sie nichts sagen dürfen, und doch so viel verraten, daß auch ihr Boot nicht gekommen ist. Den Kode mußten sie dennoch preisgeben. Als ich weiterfrage, rennen sie weg. Dann fährt ein alter, weißer Kombi an uns vorbei, aus dem drei Männer uns überrascht anschauen. Immerhin drohen sie uns nicht. Da die Piste befahrbar zu sein scheint, gehen wir zurück, um ebenfalls das Auto zu holen. Auf der Fahrt kommt uns der weiße Kombi wieder entgegen. Ein paar Minuten später ist der Weg von einem anderen Auto versperrt, dessen Fahrer mit weit geöffnetem Mund schläft. Wir steigen aus und stehen direkt oberhalb des Waldstücks, das inmitten paradiesischer Natur das Bild einer Höllenlandschaft abgibt: müllübersät, mit Dutzenden oder Hunderten Menschen, die unter den Bäumen liegen oder sich von hier nach da schleppen. Wir beobachten, daß alle paar Minuten die Boote vom Waldstück ablegen, obwohl die Kriegsschiffe vor der Küste kreuzen. Vielleicht ist es Torschlußpanik oder der Versuch, die Küstenwache durch eine rasche Folge von Booten zu überfordern. Ein Boot wird von vier Kriegsschiffen eingekreist, die übrigen scheinen nach Lesbos übersetzen zu können.

In einem Gebüsch entdecken wir die fünf Afghanen wieder, die vor einer Stunde vor uns weggerannt sind. Sie haben drei Wasserflaschen, die fast schon leer getrunken sind, und auf dem Boden liegen zwei Konservendosen. Offenbar hat der Kombi ihnen etwas Proviant gebracht, die erste Mahlzeit seit Tagen, bestätigen die Afghanen: weiße Bohnen in Tomatensoße, die sie kalt geschlürft haben, einen Löffel sehe ich jedenfalls nicht. Die Frage, wer die Männer im Kombi waren, beantworten sie nicht, sondern wollen wieder rasch verschwinden, einen steilen Weg hinabgehen, der in das Waldstück zu führen scheint. Nein, wir sollten nicht mitkommen, die Aufpasser hätten Messer und Pistolen. Einer der Afghanen will noch rasch einen Schluck trinken und macht dann sicher unbewußt, aus einem immer noch nicht verkümmerten Instinkt, eine Geste, die mindestens so wahnsinnig wie das europäische Grenzregime ist: Er, der mit dem bißchen Wasser wer weiß wieviele Tage auskommen muß, bietet zuerst mir die Flasche an.

Zero refugees here

Auf dem schmalen, holprigen Feldweg müht sich unser Mietwagen rückwärts, bis wir endlich eine Stelle zum Wenden finden. An der Straße angelangt, fahren wir nicht rechts den Berg hinunter nach Assos, sondern biegen links ab, dann an der Schnellstraße nochmals links und an der ersten Abzweigung wieder links, bis wir einmal um den Berg herumgefahren und zum Meer gelangt sind. Auf dem langen, ansonsten menschenleeren Strand umarmt sich hier ein Liebespaar und steht dort eine Mannschaft Polizisten in loser Formation, fünfundzwanzig oder dreißig Beamte in blauen, blitzblanken Uniformen. Sie scheinen auf den nächsten Einsatz zu warten. Ich spreche den Offizier

➤ Folgende Seiten: Assos, Türkei: Die drei Afghanen am Wegrand, die nach eigenen Angaben von Schmugglern um die Überfahrt betrogen worden sind.

an, der freundlich zurückgrüßt, und stelle mich als Berichterstatter aus Deutschland vor. In recht flüssigem
Englischen erklärt er, daß seine Mannschaft den Küstenabschnitt bewacht.

– Wegen der Flüchtlinge, frage ich.

– Ja, wegen der Flüchtlinge, antwortet der Offizier.

– Kommen denn welche durch?

– Nein, da kommt keiner durch.

– Aber ich habe gesehen, daß welche durchkommen.

– Da müssen Sie sich getäuscht haben. Sie sehen doch,
da draußen, das sind alles Schiffe der Küstenwache.

Als ich ihm berichten will, was ich oben vom Berg aus
gesehen habe, erklärt der Offizier in plötzlich gebroche-
nem Englisch, daß er mich nicht richtig verstehe, leider
spreche er nur Türkisch. Außerdem müsse er nun zu seinen Leuten zurückgehen.

– Here no refugees, erklärt er kategorisch und läßt mich
stehen: Excuse me.

Ich gehe ihm nach und deute auf den bewaldeten
Berg, der zwei, drei Kilometer östlich ins Meer ragt. Dort
hielten sich Flüchtlinge seit Tagen oder vielleicht sogar
Wochen praktisch unversorgt auf, wohl von Schmugglern
drangsaliert. Der Offizier schüttelt den Kopf und wieder-
holt, daß er leider nicht gut genug Englisch beherrsche,
um mich zu verstehen.

– There! rufe ich und zeige mit dem ausgestreckten Fin-
ger noch einmal auf den Berg: Many refugees there!

– No refugees here, beteuert der Polizist und hält mir die

Handflächen entgegen, die er wie einen Scheibenwischer abwechselnd in die Mitte und nach außen bewegt: Zero refugees here.

Auf Leben und Tod

Gegenüber vom Basmane Gar, dem Hauptbahnhof von Izmir, befindet sich das Teehaus, in dem auf Leben und Tod verhandelt wird. Schließlich hängt die nackte Existenz davon ab, daß der Schlepper ehrlich ist, dem sich die Flüchtlinge anvertrauen. Genaugenommen ist es nur ein Agent, der die Flüchtlinge anwirbt, jemand, der ihre Sprache spricht; das macht es für die Flüchtlinge noch schwerer, sich für den Richtigen zu entscheiden, wenn womöglich nicht einmal der Agent den Chef der Unternehmung persönlich kennt. Es ist acht Uhr morgens, die ersten Verhandlungen haben bereits begonnen: Nur zwei Tische weiter sitzt eine syrische Familie um einen Mann mittleren Alters, der immer wieder auf sein Smartphone tippt und den Kunden den Bildschirm entgegenhält, Beträge für diese oder jene Route, vermute ich, für dieses oder jenes Boot. Die Familie hat ihr Gepäck schon dabei, jeder eine handliche, übervolle Sporttasche, zwei Männer und eine Frau um die dreißig sowie ein Junge von vielleicht fünf Jahren, aus dessen Rucksack ein Stoffkänguruh hervorlugt. Entweder führen die beiden Männer, die Brüder oder Schwäger sein mögen, *good cop & bad cop* auf, oder sie sind tatsächlich uneins, ob sie auf das Geschäft eingehen sollen. Während einer die Fragen stellt, schüttelt der andere skeptisch den Kopf und wendet sich ab. Der Agent gibt sich Mühe, dem Gespräch die Schwere zu nehmen, lächelt viel und schäkert mit der Frau. Seine jugendliche Kleidung signalisiert ebenfalls Lockerheit, Turnschuhe, Kapuzenpullover und schwarze Regenjacke mit drei signalgrünen Streifen. Die Frau, die es offenbar am eiligsten hat, stimmt geradezu ostentativ in den fröhlichen, zuversichtlichen Ton ein. Vielleicht denkt sie auch nur an ihren Sohn, dem sie die Angst nehmen will. Ich weiß nicht, zu welchem Ergebnis die Runde gekommen ist, als der Agent den Tee bezahlt und mit der Familie das Teehaus verläßt. Ihr Gepäck haben Flüchtlinge immer dabei.

Der Schuh von Frau Merkel

Ebenfalls am Basmane Gar, der zwischen mehrspurigen Straßen und gesichtslosen Häuserblocks noch das Flair der orientalischen Frühmoderne ausstrahlt, steht eine osmanische Moschee. Ich vermute, dort Flüchtlinge anzutreffen, schließlich bieten Gotteshäuser auch im Islam seit jeher Fremden Asyl, finde indes die Tore verschlossen. Ich gehe um den Zaun herum und stoße in der Seitenstraße auf einen Nebeneingang, der über einen kleinen Hof zum Waschhaus führt. Dort wohnen die Flüchtlinge: statt in der Moschee unter freiem Himmel, statt auf dem weichen Teppich auf dem nackten Stein. Es sind etwa ein Dutzend Familien mit Kindern und Alten, denen das Geld ausgegangen ist. Ihr Gepäck und die aufgerollten Plastikteppiche haben sie an die Seite geräumt, sitzen in Grüppchen auf dem Boden oder auf den Stühlen der Teestube, die zur Moschee gehört. Nichts leichter, als mit ihnen ins Gespräch zu kommen, so viel Zeit haben sie und so viel zu erzählen.

Die eine Familie hat 2011 und 2012 die Massaker des syrischen Regimes in Daraa ganz im Süden Syriens hautnah miterlebt, die andere in Deir al Zohr, einer zwischen IS und syrischen Truppen hart umkämpften Stadt am Euphrat, alle Hoffnung auf Frieden verloren. Umringt von ihren Kindern, für die ich wohl ganz banal ein Zeitvertreib bin, sitze ich auf einer gefalteten Decke aus schwerer Schurwolle und verliere allmählich den Überblick, welche Geschichte zu wem gehört. Nicht nur von der syrischen oder irakischen Heimat handeln sie, sondern auch von Unterdrückung und Krieg, von der Flucht und wie ihnen das Geld ausgegangen, abhanden gekommen oder gestohlen worden ist. Wo sollen wir denn hin? fragen sie alle und fürchten, daß sie am Ende zurückkehren müssen, um sich zwischen zwei Toden zu entscheiden, dem des Regimes oder dem des «Islamischen Staats».

– Wir müssen lernen, wie Jesus übers Wasser zu gehen, flüchtet sich ein Familienvater in Sarkasmus, der in Damaskus Englischlehrer war und deshalb im Hof der Moschee den Schulunterricht übernommen hat.

– Gibt es denn kein arabisches Land, in das ihr könnt? erkundige ich mich.

– Wir kommen aus Jordanien, meldet sich ein anderer Vater und berichtet, daß Flüchtlinge dort keine Arbeitsgenehmigung erhielten, es seien einfach zu viele geworden, 1,4 Millionen, wie es offiziell heißt; das entspricht 20 Prozent der jordanischen Bevölkerung. Und das Flüchtlingswerk der Vereinten Nationen mußte dieses Jahr auch noch seine ohnehin geringen Hilfen kürzen, weil die internationalen Geberländer die zugesagten Gelder nicht ausgezahlt haben.

– Sollen wir als Bettler leben, fährt der Vater fort, sollen meine Kinder in einem Zelt aufwachsen?

– Und die Golfstaaten?

– Die Golfstaaten! lacht er, als hätte ich einen Witz gemacht: Allein das Visum für die Emirate kostet 6000 Dollar.

– Deutschland respektiert die Menschenrechte, das ist das Wichtigste, fügt eine Frau an, die wie alle Frauen im Hof der Moschee das Kopftuch trägt.

– Der Schuh von Frau Merkel ist mehr wert als alle arabischen Führer, ruft ihr Mann.

– Der Schuh?

– Ja, der Schuh, sagt der Mann und muß jetzt selbst schmunzeln.

– Ich werde auf die Schuhe achten, wenn ich das nächste Mal Frau Merkel im Fernsehen sehe.

– Ja, tun Sie das, achten Sie auf die Schuhe und denken

Sie dabei an meine Worte: Jeder einzelne Schuh von ihr ist mehr wert als alle arabischen Führer zusammen.

– Und beide Schuhe mehr als die arabische Welt! pflichtet ihm der Englischlehrer bei.

Zu lachen ist auch ein Mittel, sich trotz des Abgrunds, der sich vor und hinter ihnen auftut, als Menschen zu behaupten. Aus dem Schuh wird prustend die Sohle, aus *assert* . der Sohle der Schmutz unter der Sohle der Bundeskanzlerin, der mehr wert sei als die arabische Welt. Und nicht nur das Lachen ist ein Mittel der Selbstbehauptung, ebenso der Schulunterricht, den sie ihren Kindern geben, das Besenreine des Innenhofs, die Kleidung, die auffallend gepflegt ist, und immer wieder der Verweis auf den Beruf, den sie ausgeübt haben, die Qualifikationen, die sie vorweisen können. Vielleicht, weil sie sich von der Welt aufgegeben fühlen – und es praktisch ja sind –, ist ihr Wille wie der Wille von Flüchtlingen seit jeher so ausgeprägt, sich nicht auch noch selbst aufzugeben. Zugleich brennt ihnen noch das Alltäglichste auf der Seele: daß sie für jeden Gang aufs Klo eine Lira bezahlen müssen, umgerechnet 30 Cent. Dixie-Klos gibt es am Basmane Gar nicht.

– Und nach dem Abendgebet wird das Waschhaus verschlossen, klagt ein älterer, hagerer Mann: Da können wir noch so viel betteln – nicht einmal die Frauen, nicht einmal die kranken Kinder läßt der Wärter aufs Klo.

Er sei allein hier, als einziger hier ganz allein, sagt der Alte, war Vorsteher eines winzigen Dorfes in Syrien und wurde kurz hinter der türkischen Grenze, er weiß selbst nicht genau wo, von seinen Leuten getrennt, als die Polizei sie inmitten einer riesigen Schar Flüchtlinge aufgriff und auf verschiedene Busse verteilte. Er hatte nur wenig Geld und kein Telefon bei sich, um seine Angehörigen wiederzufinden, schlug sich zu Fuß, mit dem Bus und per Anhalter nach Izmir durch in der Hoffnung, sie in der Nähe des Basmane Gar zu treffen. Irgendwie habe er es im Blut, sich verantwortlich zu fühlen, sei praktisch zum Sprecher der Familien geworden, die vor dem Waschhaus der Basmane-Moschee leben, und da habe er's dann vor ein paar Nächten nicht mehr ausgehalten, habe erst nach dem Wärter, dann nach dem Imam, schließlich nach Gott geschrien, damit die Frauen aufs Klo gehen dürfen. Die Männer könnten ja irgendwo verschwinden, aber eine Frau, die vielleicht sogar ihre Tage habe, oder ein Kind mit Durchfall – wo sollen sie denn mitten in der Stadt hin, wenn auch die Teehäuser schon geschlossen sind?

– Hilft Ihnen denn niemand? möchte ich wissen: Irgendeine Organisation, der türkische Staat, die Vereinten Nationen, was weiß ich.

– Einmal die Woche schaut ein Ärzteteam vorbei und gibt Medikamente aus, antwortet der Alte: Das ist alles.

– Und wovon leben Sie?

– Von der Güte der Nachbarn leben wir, sagt der Alte und erzählt, daß die Bewohner und Händler des Viertels die Flüchtlinge mit Kleidung, Decken, täglich mit Essen und die Bedürftigsten mit ein paar Lira versorgen. Denn nicht nur für Bad und Toilette, ebenso für jede Steckdose, in der ein Flüchtling sein Handy auflädt, und jedes Gläschen Tee verlange die Moschee Geld.

– Ich bin ein frommer Mann, ich fehle bei keinem Gebet. Aber ein Islam, der keine Barmherzigkeit kennt, ist nicht einmal eine Notdurft wert.

Ohne Freiheit kann man leben

Über zwei Millionen Flüchtlinge hat die Türkei aufgenommen, und so ist in den Gassen des Viertels am Basmane Gar Arabisch die zweite Sprache geworden. Viele Menschen tragen handliche Sporttaschen oder übervolle Rucksäcke, und sie gehen langsamer als gewöhnliche Städter oder lassen sich vor den Cafés ewig Zeit für einen einzigen Tee, sitzen noch stundenlang da, wenn das Glas längst abgeräumt ist. Von ihren Stühlen vertrieben werden sie offenbar nicht. Jetzt, da so viele Syrer in Izmir leben, bieten manche Teehäuser auch Wasserpfeifen an, die in der Türkei sonst unüblich sind. In den billigen Pensionen, die es an jeder Ecke gibt, kostet das Einzelzimmer etwa zehn Euro, Mehrbettzimmer und Massenlager entsprechend weniger. Man kann die Zimmer auch stundenweise mieten, wenn man bloß mal wieder auf einer Matratze liegen will. Wer mehr Geld hat oder länger bleibt, nimmt sich eine der möblierten Wohnungen, die

auf zahllosen Aushängen angeboten werden. Die Schnell-
imbisse florieren, weil sich die wenigsten Flüchtlinge ein
Restaurant leisten können, aber doch etwas essen müssen, ebenso die Internetcafés, Wechselstuben, Überwei-
sungsbüros, Friseure, Barbiere und öffentlichen Bäder.
Am besten gehen die Schwimmwesten, die in den Ausla-
gen der Modegeschäfte rot und orange leuchten.

In einem der Läden, die zwischen Hemden und Jeans
die Ausrüstung für eine Hochseefahrt anbieten, behaupte
ich, daß ich aus Iran komme. Der junge Verkäufer, der
selbst ein Syrer ist, hat wohl noch nie einen Deutschen
getroffen, der Arabisch spricht, sonst würde er meinen
Akzent identifizieren. Jedenfalls muß ich mir keine große
Geschichte ausdenken, damit er mir glaubt, daß ich
Schriftsteller bin, die hätten es in Iran besonders schwer,
und das ist nicht einmal gelogen.

– Sind Sie denn allein? erkundigt sich der Verkäufer.

– Ja, antworte ich: meine Familie hole ich nach, wenn ich
dort bin.

– So Gott will, nickt der Verkäufer, dem ich nicht sagen
muß, was mit «dort» gemeint ist.

Dann fragt er – keine zehn Sätze haben wir gewech-
selt, seit ich den Laden betrat –, ob er mich mit einem ver-
trauenswürdigen Schlepper in Verbindung bringen solle;
ein Anruf, und in zwanzig Minuten sei jemand da.

Beim Tee, den der Verkäufer mir bringt, erkundige ich
mich schon einmal nach den Preisen für die verschiedenen Schwimmwesten, Bootstypen und griechischen In-

seln. Der Verkäufer wirkt kompetent, ich kann es nicht anders sagen, nur daß er die Holzkähne, die achthundert Euro mehr kosten, hartnäckig «Yachten» nennt, erscheint mir ein bißchen zynisch. Sonst jedoch untertreibt er weder die Dauer noch die Gefahren der Überfahrt, erwähnt auch den langen Fußmarsch, auf den ich mich in Lesbos gefaßt machen müsse, und rät deshalb zur Route von Bodrum nach Kos. So oft habe ich Flüchtlinge – vor allem afghanische Flüchtlinge – über die Schlepper klagen hören, die ihnen das Blaue vom Himmel versprochen hätten, eine einstündige Kaffeefahrt und am griechischen Hafen gleich ein Aufnahmezentrum der Europäischen Union. Obwohl er sicher eine Prämie kassieren würde, ja wahrscheinlich als Syrer in dem Laden angestellt ist, damit er seine Landsleute an den Schlepper vermittelt, redet der Verkäufer die Flucht nicht schön. Statt dessen fragt er, warum ich überhaupt aus Iran fliehen will, in Iran sei doch kein Krieg.

– Das stimmt, antworte ich, aber es gibt keine Freiheit.

– Glauben Sie mir, sagt der Verkäufer, der über die Revolution sein Land verloren hat: Ohne Freiheit kann man leben, aber nicht ohne Frieden.

Ich frage, was er von der Sorge vieler Europäer hält, daß unter den Flüchtlingen auch Dschihadisten sind. Das sei unter den Syrern selbst ein großes Thema, sagt der Verkäufer; jeder hier hätte böse Erfahrungen mit dem IS und Angst vor seinen Spitzeln. Eigentlich halte er das für abwegig, weil der IS Geld genug habe, um Attentäter

schneller, sicherer und bequemer nach Europa zu schleu-
sen als auf einem Schlauchboot. Andererseits habe er
selbst die Dschihadisten gesehen.

– Sie haben sie gesehen? frage ich.

– Ja, auf Facebook, antwortet der Verkäufer und holt sein
Smartphone hervor, um zwei Photos eines bärtigen Man-
nes zu zeigen, das eine offenbar aufgenommen in Syrien
oder im Irak, das andere im Vorgarten eines Reihenhau-
ses irgendwo in Westeuropa. Der Mann auf dem ersten
Photo trägt Dschalabija und hält zwei abgetrennte Köpfe
in die Höhe; der Mann auf dem zweiten Photo trägt west-
liche Straßenkleidung und hält zwei fröhliche Kinder an
der Hand.

– Sind Sie sicher, daß es der gleiche Mann ist?

– Das steht jedenfalls unter dem Post, und schauen Sie
mal: Die beiden haben das gleiche Grinsen.

Es stimmt, beide Männer grinsen, doch sind die Gesichter auf dem Bildschirm des Smartphones zu klein,
die Bärte zu dicht, um sicher sagen zu können, daß
es das gleiche Grinsen ist. Auf Facebook sind solche
Photos schnell zusammengestellt und verbreiten sich
dann wahrscheinlich rasend schnell. Wovor die Europäer
Sorge haben, das macht den Flüchtlingen erst recht
Angst.

Zurück?

Ich komme zum Platz vor der Hatujine Moschee, wo die Bäume einen angenehmen Schatten spenden und ringsum die Häuser oft noch die kunstvollen Gitter vor den hölzernen Fenstererkern haben. Auf dem Boden sind Decken ausgebreitet, auf denen fliegende Händler gebrauchte Kleidung, wasserdichte Täschchen fürs Smartphone oder Hygieneartikel anbieten. Am Gitter der Moschee haben mehrere Familien Tücher schräg aufgespannt, unter die sie zum Schlafen und Wechseln der Kleider kriechen können. Nicht nur vor den Teehäusern stehen Stühle, sondern über den gesamten Platz verteilt. Wer immer sie hingestellt hat, die Einheimischen und Flüchtlinge sind's froh, sitzen schweigend oder plaudern in Grüppchen, ohne eine Lira für den Tee ausgeben zu müssen. Die Szenerie wirkt so friedlich, wie ich überhaupt überrascht bin, trotz der Bedrängnis und der psychischen Belastung der Flüchtlinge wenig Aggressionen und laute Worte auf dem Treck erlebt zu haben. Die einzige Prügelei, die ich sah, fand auf Lesbos zwischen einem Helfer und einem Photographen statt. Vermutlich liegt es auch an ihrem unsicheren Status, ihrer Abhängigkeit von Hilfe und Aufnahme, daß sich viele Flüchtlinge um ein gepflegtes Aussehen bemühen, daß sie freundlich sind, ihre Dankbarkeit zeigen und alles vermeiden, was sie zusätzlich als Last ausweisen könnte. Andererseits bin ich womöglich auch nur durch meine Lektüren vorgeprägt; gerade die deutsche Literatur hat die Psychologie von Flüchtlingen vielfach beschrieben, Joseph Roth genauso wie Bertolt Brecht und noch Herta Müller. So verschieden die Gründe für die Flucht sein mögen, dürften die Auswirkungen aufs Gemüt doch dieselben geblieben sein, die Hoffnungen und Ängste, die Scham und die Gefallsucht, auch die Depression oder Wut, wenn man nicht einmal am Ziel eine Zukunft gefunden hat. Und so verschieden sind die Gründe vielleicht auch gar nicht.

Ich setze mich auf einen freien Stuhl und frage mich, welche Geschichte der dickliche Mann neben mir hat, der ziemlich verwahrlost aussieht: unrasiert, die langen Seitenhaare achtlos über den kahlen Schädel gelegt, nicht nur das Hemd fleckig, sondern auch der braune Anzug abgeschabt, an einigen Stellen löchrig.

– Woher? frage ich.

– Mossul, antwortet der Mann und schaut mich aus dunklen, unfaßbar traurigen Augen an, die in seinem ohnehin runden Gesicht wie zwei angenähte Knöpfe aussehen.

Ich muß nicht weiterfragen, um seine Geschichte zu erfahren. Er heißt Muhammad Yussuf Zaidan, ist sechsundfünfzig Jahre alt und besaß in Mossul eine ganze Ladenkette. Aber in Mossul darf man nicht rauchen, man darf nicht mit seiner Frau ausgehen, man darf nicht arbeiten, und wenn man arbeitet, muß man mit seinem Verdienst den IS finanzieren.

– Gibt es denn in Mossul überhaupt niemanden, der zufrieden mit dem IS ist? frage ich.

– Das sind Tiere, sagt Herr Zaidan. Welcher Mensch ist schon zufrieden, wenn er von Tieren beherrscht wird?

– Aber der IS muß doch auch Unterstützer haben.

– Sie haben keine Ahnung, was in Mossul los ist. Da ist Tag für Tag Terror. Die einen üben ihn aus, alle anderen werden terrorisiert. Was glauben Sie denn, warum ich hier bin? Ich hatte dort alles, Familie, ein Haus, zwei Autos, ich war jemand. Jetzt bin ich niemand.

Muhammad Yussuf Zaidan hat einen guten Teil seines Geldes, umgerechnet 45.000 Euro, bar in das Futter seines Sakkos genäht und ist vor achtzehn Tagen aus Mossul geflohen. Die Familie ließ er zurück, weil der Weg ihm zu gefährlich schien, vor allem die Checkpoints des Islamischen Staates. Mit mehr Glück als Verstand hat er es, von langen Fußmärschen erschöpft zwar, aber wohlbehalten, in die Türkei geschafft, nur um gleich am ersten Abend von mehreren Männern bewußtlos geschlagen zu werden. Herr Zaidan wendet sein Sakko nach außen und zeigt die Stelle, wo es von innen aufgerissen ist. Auch seine Tasche haben die Räuber mitgenommen, ebenso Smartphone, Ausweis und so weiter.

– Und jetzt? frage ich.

– Der Rückweg ist noch gefährlicher, antwortet Herr Zaidan.

➤ *Folgende Seiten: Belgrad, Serbien: Die Füße eines Flüchtlings, der in einem Park im der Nähe des Hauptbahnhofs schläft.*

Noch rechtzeitig

Als der Zug am Abend des 6. Dezember 2015 in Köln ankommt, bleiben die Flüchtlinge sitzen und starren unsicher auf den Bahnsteig. Es müssen erst Helfer in blauen und Übersetzer in grünen Westen durch die Gänge laufen und in die Abteile rufen, damit die Flüchtlinge ihre Habseligkeiten zusammenpacken und aussteigen. Es sind nur knapp zweihundert statt der vierhundertsechzig, die heute morgen noch angekündigt waren, und es trifft heute auch nur ein Zug ein statt der üblichen zwei. Die vielen freien Plätze stehen für die Hindernisse, die es auf dem Treck nach Europa seit neuestem gibt: das stürmisch gewordene Meer natürlich, aber auch eine entschlossenere Überwachung der Küste, zu der die Europäische Union die Türkei mit viel Geld und einem Kotau vor der Regierung Erdoğan veranlaßt hat. Außerdem winken die Staaten des Balkans nur noch Iraker, Syrer und Afghanen durch, so daß alle anderen Flüchtlinge an den Grenzen ausharren oder noch mehr Geld für Schlepper zahlen.

Aber die im Zug sitzen, die haben es noch rechtzeitig vorm Wintereinbruch und der vollständigen Schließung der Grenzen geschafft. Heute vormittag sind sie in Passau

an der deutsch-österreichischen Grenze in den Zug gestiegen und wissen offenbar nicht, wo sie jetzt sind, fragen jedenfalls beim Aussteigen sofort nach und lassen
sich erklären, wo Köln liegt, aber Hauptsache in Deutschland. Seltsam, daß ausschließlich Familien auf den zugi-
gen Bahnsteig des Flughafenbahnhofs treten, viele Kinder, viele Frauen, viele Alte – werden die alleinstehenden
jungen Männer etwa ebenfalls an den Grenzen aufgehalten, oder schlagen sie sich, in Deutschland angekommen,
einfach nur auf eigene Faust durch? Die Mitarbeiter der
Kölner Stadtverwaltung, die sich durch rote Westen ausweisen, wüßten das ebenfalls gern. Die Kommunikation
mit Passau sei ausbaufähig, formuliert es ein Beamter
höflich; selbst die Anzahl der Flüchtlinge werde ihnen
nur kurzfristig mitgeteilt.

So kommt es, daß heute fast schon zu viele Helfer am
Bahnsteig und in den turnhallengroßen Zelten auf die
Flüchtlinge warten, dem Augenschein nach mindestens
im Verhältnis eins zu eins. Die Flüchtlinge reiben sich
die Augen ob der zahlreichen Hände, die ihnen das Gepäck und die Kleinkinder abnehmen, der Willkommens-
grüße und überall freundlichen Gesichter. Die ebenfalls
ehrenamtlichen Mitarbeiter der Kleiderkammer, die an
den grauen Westen zu erkennen sind, notieren sich bereits auf dem Bahnsteig, wer Jacke, Pullover, Hose oder
Schuhe benötigt, tragen die Größen in ihre Listen ein.
Auch Sanitäter, kräftige Soldaten der nahegelegenen Ka-
serne in Porz und nicht weniger als fünf Ärzte bieten ihre

Hilfe an – alle außerhalb ihres regulären Dienstes. Und wie viele Deutsche die Sprachen der Flüchtlinge beherrschen! Denn nicht nur unter den Übersetzern, auch unter den übrigen Freiwilligen und selbst unter den Mitarbeitern der Stadtverwaltung sind überproportional viele Kinder von arabischen, kurdischen, persischen und afghanischen Einwanderern. Vielleicht werden sie wegen ihrer Sprachkenntnisse bevorzugt für den Dienst eingeteilt, schließlich melden sich auch Ende des Jahres immer noch mehr als genug Bürger in Deutschland als Freiwillige. Wer etwa bei der Stadtverwaltung Köln anruft, um an der «Drehscheibe» zu helfen, wird auf eine lange Warteliste gesetzt und selbst wenn er Persisch- und Arabischkenntnisse besitzt zunächst vertröstet, daß jeder mal an die Reihe käme, allerdings wohl frühestens in drei, vier Wochen.

«Drehscheibe» heißt das Lager auf der Freifläche zwischen dem Flughafenbahnhof und Parkhaus 2, weil die Flüchtlinge von hier nach zwei, drei Stunden Aufenthalt in die Aufnahmelager Nordrhein-Westfalens verteilt werden. Die Zelte sind beheizt, mit Holzplatten ausgelegt und im Rahmen des Möglichen sogar dekoriert: Bilder, von Kölner Kindern gemalt, Bildschirme mit den wichtigsten Informationen und ein großes Plakat, das die Flüchtlinge willkommen heißt. Der Ablauf ist von den Behörden und den ausschließlich ehrenamtlichen Helfern beeindruckend gut organisiert. Noch bevor die Flüchtlinge eintreffen, stehen schon Obst, Schokolade und Wasser auf den Biertischen bereit, und kaum haben sie sich gesetzt, werden sie mit Suppe und Tee versorgt. Das Internet ist kostenlos, damit sie rasch ihren Angehörigen Bescheid sagen können, genügend Steckdosen stehen zum Aufladen der Handys und Smartphones zur Verfügung, und die Kinder brauchen nicht lange, um sich mit den Helfern anzufreunden, die für die Spielecke eingeteilt sind. Es gibt einen Schalter zum Geldwechseln, einen Wickelraum, eine Gebetsecke und außerdem Fahrkartenautomaten für diejenigen, die ihre Weiterfahrt selbst organisieren. Die Helfer, die an den Automaten stehen, sind telefonisch mit anderen Helfern verbunden, die zu Hause am Computer nach den preiswertesten Verbindungen suchen. Auch für die Begleitung zum Hauptbahnhof, wo die Züge in den Rest der Republik oder Richtung Skandinavien abfahren, ist gesorgt.

Es dauert etwas, bis die Flüchtlinge sich beruhigen, bis sie ankommen, aber nach einer Weile löst sich die Anspannung, und die Stimmung im Zelt wird geradezu heiter. Gerade heute, wo nicht alle Helfer zu tun haben, ergeben sich an den Biertischen lange, mitunter emotionale Gespräche – oder wenn nicht Gespräche, dann warme Blicke und herzliche Gesten, zumal die Flüchtlinge sich nicht oft genug bedanken können. Und zugleich hat die Szenerie auch etwas Unwirkliches, nicht nur für die Flüchtlinge, die eine solch freundliche wie einfühlsame Aufnahme zum ersten Mal auf ihrer anstrengenden Reise erleben und sich wahrscheinlich fragen, ob dieses

Deutschland morgen früh immer noch so brüderlich ist. Die Helfer fragen sich das schließlich auch.

Gerade heute, am 6. Dezember, geht der *Front National* als strahlender Sieger aus den Regionalwahlen in Frankreich hervor, und im anderen großen Nachbarland Deutschlands, in Polen, hat sich die neue Regierung ausdrücklich zum Europa Victor Orbáns bekannt, in dem Flüchtlinge keinen Platz haben. Andere osteuropäische Staaten und sogar der Ratspräsident der Europäischen Union haben sich ebenfalls vehement gegen die deutsche Flüchtlingspolitik gestellt. Aber auch in Deutschland selbst verzeichnen die Rechtspopulisten Zulauf und steht Angela Merkel unter starkem Druck gerade aus der eigenen Partei. Der bayerische Ministerpräsident, der Ende September demonstrativ freundlich Victor Orbán empfing, ließ auf dem Parteitag alle Höflichkeit vermissen, als die eigene Bundeskanzlerin zu Gast war. Die Zahl der Angriffe auf Flüchtlingsunterkünfte steigt dramatisch, nach Angaben des Bundeskriminalamts auf 817 im laufenden Jahr. Dabei gibt sich die Bundesregierung längst alle Mühe, die Zahl der Flüchtlinge zu reduzieren, hat die Asylgesetze verschärft, schränkt den derzeit ohnehin selten gewährten Familiennachzug weiter ein, will Transitzonen schaffen und ruft auf den Gipfeltreffen verzweifelt nach einer europäischen Grenzabwehr. Aber eine gemeinsame Flüchtlingspolitik, wie sie die Europäische Kommission auszuarbeiten versucht, ist mit den bereits erfolgten oder zu erwartenden Wahlerfolgen nationalistischer Parteien erst recht in die Ferne gerückt. Sogar das liberale Schweden, das auf die Bevölkerungszahl bezogen die meisten Flüchtlinge in Europa aufnimmt, hat wieder Grenzkontrollen eingeführt, und in Deutschland sehen selbst grüne Kommunalpolitiker die Grenzen der Belastbarkeit erreicht. Die Anschläge am 13. November in Paris, denen 130 Menschen zum Opfer fielen, haben die Angst vor dem Islam noch einmal befeuert, und daß zwei der Attentäter offenbar als Flüchtlinge eingereist waren, bestätigte die schlimmsten Befürchtungen. Der Luftkrieg in Syrien, an dem sich die großen europäischen Staaten seither beteiligen, wird eher noch mehr Menschen in die Flucht schlagen, als den «Islamischen Staat» effektiv bekämpfen.

So spektakulär Deutschland im September die Willkommenskultur zelebrierte, so kollektiv scheint es sich drei Monate später überfordert zu fühlen – jedenfalls wenn man jenem Teil der Presse glaubt, der die anfängliche Beschwörung der Gastfreundschaft nun durch um so schrillere Warnungen kompensiert. Aber vielleicht war die Euphorie der Deutschen genauso medial inszeniert und übertrieben wie jetzt ihr Unmut. Die Hilfsbereitschaft jedenfalls ist nicht zurückgegangen, bestätigen die Behörden allerorten und belegt der Augenschein am Flughafenbahnhof von Köln. Und einmal persönlich berührt, von konkreten menschlichen Begegnungen erschüttert, wird die Not der Flüchtlinge und ihre Dankbarkeit Deutschland nicht mehr so leicht loslassen. Auch in Köln

Noch rechtzeitig

sind es, wie an allen Stationen entlang des Trecks, vor allem junge Leute, die sich freiwillig gemeldet haben,
zwanzig, fünfundzwanzig Jahre alt und mit so vielen unterschiedlichen Kulturen, Kompetenzen, Sprachen, als
seien sie alle gemeinsam die Verkörperung der europäischen Idee. Wenn, dann werden sie das Europa bewah-
ren und neu beginnen, das unsere nicht mehr von Krieg
und Faschismus geprägte Generation zu verspielen droht.

Karte

Dank

Zwischen dem 24. September und 2. Oktober 2015 sind Moises Saman und ich im Auftrag des Nachrichtenmagazins *Der Spiegel* von Budapest nach Izmir gereist. Eine deutlich kürzere Fassung unserer Reportage – etwa ein Drittel des vorliegenden Textes – erschien in der Ausgabe vom 11. Oktober. Vielen Menschen bin ich zu Dank verpflichtet: Lothar Gorris, der Leiter des Kulturressorts, Matthias Krug aus der Bildredaktion und Gordon Bertsch von der Reisestelle des *Spiegel* haben uns auf die bestmögliche Weise unterstützt. Alex Stathopoulos von *Pro Asyl*, Ramona Lenz und Thomas Gebauer von *medico international* sowie Hagen Knopp von *Watch the Med* haben uns bei der Planung der Route beraten und uns Kontakte vermittelt. Başak Demir half mir bei der Vorbereitung für den Türkeiaufenthalt. Nicole Courtney-Leaver besorgte uns die notwendigen Akkreditierungen und war uns in vielen anderen Angelegenheiten sehr behilflich. Mein Mitarbeiter Florian Bigge versorgte uns während der Reise von Deutschland aus mit aktuellen Informationen und Lageberichten. Der Belgrader Schriftsteller Vladimir Arsenijević und die Kulturmanagerin Milena Berić haben uns an der ungarisch-serbischen Grenze abgeholt und bis zum Flughafen Thessaloniki begleitet; Vladimir und Milena waren auf diesem langen Teilstück unserer Reise viel mehr als nur Fahrer, Übersetzer und Führer, sie haben uns mit ihren Einsichten, der schier unendlichen Fülle ihrer Kontakte auf dem gesamten Balkan und erst recht mit ihrer Freundschaft reich beschenkt. Schließlich danke ich meinem Lektor beim Verlag C.H.Beck, Dr. Ulrich Nolte, und seiner Mitarbeiterin Gisela Muhn, die die Buchfassung betreut haben.

Unmittelbar nach unserer Abreise sind mein Bruder Khalil und meine Schwägerin Bita auf Lesbos eingetroffen und haben ein Hilfsprojekt für die Flüchtlinge initiiert. Informationen dazu und auch die Spendenkonten finden Sie unter www.avicenna-hilfswerk.de.

Köln, den 10. Dezember 2015   Navid Kermani